loveactually

PHILIP O'CONNOR

loveactually

traduit par
Anne-Judith Descombey

l'Archipel

Si vous désirez recevoir notre catalogue et
être tenu au courant de nos publications,
envoyez vos nom et adresse, en citant ce
livre, aux Éditions de l'Archipel,
34, rue des Bourdonnais, 75001 Paris.
Et, pour le Canada,
à Édipresse Inc., 945, avenue Beaumont,
Montréal, Québec, H3N 1W3.

ISBN 2-84187-534-2

Prologue

Partagé entre la pitié et une joie mauvaise, David Farley observait son concurrent qui transpirait. Les projecteurs du studio gênaient son adversaire – c'était couru. Quelques milliers de watts réchauffent joliment l'atmosphère. Et ces caméras ! Même le regard des vaches est plus expressif ; en longeant la clôture qui nous sépare d'elles, on perçoit au moins une authentique curiosité animale, ou cette question insistante : « Tu as quelque chose à manger pour moi ? » En revanche, les yeux fixes des cinq caméras de télévision n'exprimaient qu'une curiosité froide, d'une implacable exigence, et elles réclamaient leur nourriture avec la certitude arrogante que personne n'oserait la leur refuser – à plus forte raison un candidat à la plus haute fonction de la nation.

Ces monstres aux yeux globuleux juchés sur leurs trépieds mobiles savaient en effet qui se tenait derrière eux. La nation, précisément. Et celle-ci avait droit à sa bouillie télévisée prémâchée, composée de mots succulents et agrémentée de gros plans cruels : poils de narines, oreilles virant au rouge vif, commissures de lèvres ou autres parties de visage tressaillant nerveusement, mains fébriles, jambes se balançant ou chaussures sur mesure marquant le rythme du mot prononcé, comme si le candidat s'était trouvé dans son club de jazz favori et non sur le gril, dans ces chaises de torture fournies par la BBC. Pourtant, vu de l'extérieur, ils avaient l'air tout à fait confortables ces sièges rembourrés de cuir, qui tenaient à la fois du tabouret de bar et du fauteuil club. En réalité, ils formaient le cadre d'un duel, d'une joute oratoire opposant deux hommes prêts à tout, dont l'un donnerait, s'il le pouvait, l'estocade à son contradicteur. L'un d'eux serait le prochain Premier Ministre, et leur duel télévisé, à la veille des élections, allait propulser les taux d'audience à des niveaux record.

John Purdue, le présentateur, trônait derrière un pupitre de maître d'école. Il surveillait l'affrontement comme un témoin, lors d'un duel, les coups de feu échangés à l'aube.

Cette mise en scène suffisait à faire abondamment transpirer James Bartholomew Eggleton, qui affichait dix-huit ans de plus que son jeune et dynamique adversaire, David Farley. À quoi bon se faire appeler familièrement « JB » au cours de sa campagne électorale pour en arriver là ? Le pauvre JB échouait à produire une impression d'ensemble positive ; ses arguments semblaient singulièrement dépourvus de mordant, même lorsqu'ils étaient concluants. De son côté, David obtenait l'adhésion de tous par la seule force de son sourire, que la gent féminine – ainsi qu'une partie de la population masculine – du Royaume-Uni avait, dans les sondages, trouvé « juvénile » (43 %), « charmant » (22 %), « sexy » (19 %), « éblouissant » (10 %) ou tout simplement « à couper le souffle » (6 %).

David se demanda s'il devait concéder à JB un peu du tragique de Nixon, épuisé par le manque

10

de sommeil le jour de son légendaire face-à-face avec John F. Kennedy. Tricky Dicky n'avait-il pas, lui aussi, transpiré devant les caméras ? David refusa de se creuser plus longtemps la cervelle à ce sujet : la comparaison avec Nixon était bien trop flatteuse pour JB.

À vrai dire, ce dernier parlait comme si sa vie en dépendait, et, d'un moment à l'autre, il perdrait probablement le fil de son discours. Alors on n'entendrait plus qu'une bouillie de sons. Des borborygmes se déverseraient de cette bouche aux lèvres épaisses et blêmes, produisant au fond exactement le même effet que des phrases comme : « La situation actuelle requiert de nous tous un complet changement de mentalité, et en particulier de nous, hommes politiques conscients de nos responsabilités, qui sommes plus que jamais confrontés à des transformations sociales d'une ampleur que nous aurions été incapables d'imaginer dix ans auparavant... »

David fixa son adversaire en s'efforçant de traduire par une mimique tout ce qu'il était censé exprimer devant les millions de spectateurs qui le regardaient : attention sans faille, supériorité du spécialiste, *fair-play* du sportif, respect de la pensée politique adverse, aimable disposition au compromis, mais, en même temps, détermination agressive à détruire l'adversaire en une réplique. Il fallait donc, au moins un instant, prêter l'oreille au flot verbal qui se déversait en face de lui : « ... c'est pourquoi, et je n'hésite pas à le redire ici et maintenant, en ces circonstances difficiles, le temps des discours creux et des promesses non tenues doit désormais appartenir au passé. On doit pouvoir de nouveau se fier aux engagements qu'un homme

– et en particulier un homme politique – prend vis-à-vis de ses concitoyens… »

David cessa pourtant d'écouter son adversaire et se contenta de l'observer. Entre des oreilles cramoisies et un visage agité de tics nerveux, sa bouche blafarde s'ouvrait et se refermait comme celle d'une carpe luttant pour survivre hors de l'eau. Où était la bonne fée qui aurait pu le réveiller d'un baiser ? Existait-elle seulement ? Existait-elle, l'épouse fidèle et dévouée qui attendait JB à la maison pour le prendre dans ses bras après une dure journée de travail ? David dut s'avouer qu'il ne s'était guère préoccupé du *curriculum vitæ* de son concurrent. Qu'il fût marié ou non, il devait bien exister des êtres qui éprouvaient pour lui de l'affection ou même de l'amour. Ses parents, s'ils vivaient encore, ou ses frères, ses sœurs… Tandis que JB dépassait impunément son temps de parole, David laissa l'éternelle énigme de l'amour repousser toute autre pensée à l'arrière-plan de sa conscience.

C'est ainsi qu'il s'adressa mentalement à un auditoire imaginaire, féminin dans son écrasante majorité, qui comme toujours l'idolâtrait : « À chaque fois que la misère du monde m'attriste, je pense à l'arrivée à Heathrow… » Il décrivait alors l'image qui lui venait à l'esprit : les couples et les groupes les plus divers qui, au moment des retrouvailles, tombaient dans les bras les uns des autres, se serraient les uns contre les autres et s'embrassaient, pleins d'amour et d'affection. Et il poursuivait : « Aujourd'hui, la plupart des êtres humains sont persuadés que nous vivons dans un monde de plus en plus dominé par la haine et la cupidité, mais je suis d'un autre avis. Il me semble que l'amour est toujours présent. Souvent, il n'est pas particulièrement noble, ni digne d'être mentionné, mais il est toujours présent – chez les pères et les fils, les mères et les filles, les maris et les épouses, les amis et même les inconnus. Lorsque les avions détournés ont percuté le World Trade Center, les dernières conversations téléphoniques des victimes n'exprimaient ni haine ni désir de vengeance. Ce n'étaient que des messages d'amour. Il suffit d'un peu d'attention pour se rendre compte que l'amour est réellement omniprésent... »

All you need is love

Une lumière bariolée parait l'intérieur de la cathédrale de tous les tons de l'arc-en-ciel. Le soleil colorait la nef mieux que ne l'aurait fait un éclairage de discothèque ultramoderne. Ses rayons traversaient les vitraux, illuminant le verre coloré. Le bleu rencontrait le rouge, le rouge le vert et le vert le bleu. Les particules de poussière dansant au-dessus d'une assistance nombreuse et vêtue de ses plus beaux atours formaient des traînées scintillantes dont les nuances variaient du jaune au mauve.

Alors qu'il était le héros du jour, Peter se sentait petit et insignifiant dans l'imposante maison du Seigneur. Les artistes des siècles passés avaient su marier la lumière et les couleurs sans l'aide de l'électricité ni de l'électronique. Évidemment, ils n'auraient pu ni déplacer, ni faire danser les rayons. Et, à l'époque, tous ces jeux de lumière ne pouvaient se produire que de jour, par un ciel sans nuages. Pourtant, à ce détail près, leur œuvre grandiose n'avait rien à envier aux prouesses techniques actuelles. Peter s'efforça de revenir à l'essentiel, le caractère solennel du moment et l'aura du lieu… en bref, le fait que dans quelques minutes il serait un homme marié. Pour l'instant, il était encore ce que l'on appelle un fiancé. En ce qui concernait les obligations – le port du smoking et du nœud papillon de circonstance –, il les remplissait à la perfection et avec aisance, tout comme Mark Doherty, son meilleur ami, à son côté en ce moment solennel, et le meilleur témoin que l'on pût souhaiter. Il lui semblait cependant étrange et presque surréaliste que Mark et lui-même jouent les rôles habituellement dévolus à d'autres. Auparavant, eux-mêmes n'avaient été que des invités, amis ou parents des élus réunis devant l'autel. S'y retrouver soudain soi-même avait quelque chose de bouleversant, de troublant et d'incompréhensible.

Malgré tout, Peter se surprenait encore à laisser ses pensées dériver vers des sujets insignifiants. Était-il donc incapable d'apprécier ce qui lui arrivait en cet instant ? Peut-être n'était-il pas encore mûr pour cette institution que l'on nomme le mariage ? Pourquoi s'intéressait-il tellement aux couleurs des vitraux, aux rayons obliques du soleil ou au bois des bancs de l'église ? Était-ce du chêne ? Avec quelles substances l'avait-on teinté ? Avec quels outils les menuisiers d'autrefois lui avaient-ils donné cette forme anguleuse ? Leur mission s'était-elle énoncée ainsi : « Rendez ces bancs aussi inconfortables que possible pour les générations présentes et à venir. Parce que tous sont des pécheurs. Parce que tous doivent expier » ?

Peter se morigéna. La soirée de la veille expliquait probablement ses divagations. Il ne s'était pas encore complètement remis de l'enterrement de sa vie de garçon. Les excès de boisson, naturellement. Et un programme plutôt déconcertant. Mark en avait fait un peu trop. Il se considérait comme un organisateur hors pair, il était fier de ses talents et il aurait été profondément blessé de ne pas se voir confier la tâche d'organiser les festivités du mariage du début à la fin. Mark était résolu à satisfaire toutes les attentes et à mettre en scène les plus beaux coups de théâtre.

— Qu'y a-t-il au programme d'aujourd'hui? demanda Peter qui n'eut pas besoin de baisser la voix, tant les murmures dans l'assistance remplissaient la nef d'un bourdonnement sonore.

— C'est une surprise! répondit Mark avec un sourire mystérieux.

— Mais pas du même genre que notre soirée entre hommes d'hier, j'espère?

— Non, non, le rassura Mark, pas du même genre.

Peter lui jeta un coup d'œil.

— Avoue que les prostituées brésiliennes étaient une erreur.

Mark poussa un soupir de contrition.

— D'accord, je veux bien l'admettre.

— Et le fait qu'elles se révèlent être des hommes, plus tard dans la soirée, était du plus mauvais goût.

— Là, je dois dire que tu as raison, reconnut Mark, l'air penaud.

La musique démarra, lui épargnant d'autres reproches de Peter. Un orchestre baroque jouait le Canon de Pachelbel, et, sur ces accords célèbres, la mariée et son père remontèrent l'allée principale.

— Bonne chance, vieux! lui glissa Mark, sans être certain que son ami l'écoutait encore, car Juliette, qui s'avançait au bras de son père, devenait le point de mire de l'assistance.

Mark prit sa caméra vidéo et commença à filmer cet événement solennel et émouvant. Juliette était la plus belle femme que Peter ait jamais vue en robe de mariée et, pendant un instant, il fut persuadé qu'elle était destinée à un autre homme – il était tout simplement impossible qu'elle l'eût accepté, lui, le type le plus ennuyeux de la planète. Il se sentait vraiment petit et insignifiant face à l'enthousiasme que soulevait la beauté irréelle de cette mariée, tel un rêve de blancheur.

Des yeux brillants et des visages émerveillés escortaient Juliette dans sa marche vers l'autel. Elle entendit derrière elle des pas rapides, se tourna à demi et sourit, émue. C'était son amie Sarah, en retard comme à son habitude. Pourtant, elle n'aurait pour rien au monde manqué un rendez-vous aussi important que celui-ci. Aux abois, hors d'haleine, son téléphone portable encore collé à l'oreille, Sarah se glissa sur un banc à côté de Jamie, un homme de trente-huit ans, séduisant mais poursuivi par la malchance avec les femmes. À cet égard, Sarah – qui venait d'avoir trente ans et qui était le chaos même – était son exact pendant. Ses relations avec les hommes étaient en effet un fiasco total. C'était pourtant une délicieuse petite créature qui, de l'avis de Juliette, aurait dû avoir tous les hommes à ses pieds. Comment réussissait-elle donc à les faire fuir les uns après les autres ? Peut-être était-elle tout simplement trop agitée. Ici même, dans ce lieu de recueillement qu'était la cathédrale, elle avait du mal à maîtriser sa nervosité. Après un salut rapide à Jamie, qui lui sourit gentiment, elle essayait de tout faire en même temps : débrancher son portable, le fourrer dans son sac à main, s'asseoir, se retourner, regarder autour d'elle et distribuer des saluts à la hâte.

Le cœur battant d'une attente joyeuse, Juliette se concentra de nouveau sur la cérémonie la plus importante de son existence. Peter n'était certainement pas moins ému qu'elle, elle le voyait à son attitude : il pouvait à peine attendre le moment de la conduire à l'autel. Elle-même savoura chaque pas qu'elle accomplissait dans l'allée, entourée de visages radieux. Elle avait l'impression de planer, son père à son bras et, derrière elle, le cortège de demoiselles d'honneur portant sa traîne et les fleurs. Soudain, Peter apparut à son côté et le rêve prit son envol.

La voix du prêtre parvint à Juliette comme à travers des nuages de coton. Des voiles roses semblaient flotter autour de l'anneau, revêtant son or d'un éclat rouge, tandis que Mark le tendait à Peter. Le métal précieux était chaud et lisse lorsque Peter le passa à son annulaire. Le baiser qu'il lui donna, officiel et cérémonieux en présence de tous ces regards, était plus solennel que d'habitude. Au moment d'apposer les signatures sur le registre, Juliette sentit ses jambes se dérober sous elle, persuadée qu'elle serait incapable d'écrire son nom. Pourtant, miraculeusement, le stylo à encre qu'elle tenait à la main traça comme de lui-même les lettres sur le papier. Puis le prêtre signifia aimablement aux nouveaux mariés qu'il était temps de prendre le chemin de la sortie.

Peter jeta un coup d'œil à son ami et témoin.

— J'espère que tu as résisté à la tentation de nous concocter de nouvelles surprises, dit-il.

— Mais bien sûr, répliqua Mark avec un air ingénu, je suis quand même un grand garçon !

Au son de la marche nuptiale, les mariés escortés de leurs invités remontèrent l'allée de l'église. Soudain, l'organiste attaqua un autre morceau, qui ressemblait à s'y méprendre à *La Marseillaise*. Médusé,

Peter se tourna vers Mark, dont le visage avait un air d'innocence suspect. Il n'eut cependant pas le temps de lui adresser de nouveaux reproches, car ce qui survint au même moment sur la galerie de l'église mobilisa l'attention générale.

Là-haut, un rideau s'était relevé, révélant un chœur de cent chanteurs qui entonna aussitôt le vieux tube des Beatles :

« *Love, love, love...* »

Le chœur se divisa en deux et l'on vit apparaître une ravissante chanteuse dont la voix ensorcela l'assistance et la fit frissonner :

« *Nothing you can do that can't be done.*
Nothing you can sing that can't be sung.
Nothing you can say but you can learn how
to play the game.
It's easy. »

L'ensemble du chœur reprit les paroles et les voix s'unirent en un hymne triomphal.

« *All you need is love...* »

Pourtant, ce n'était que le début. Au milieu du refrain éclata un véritable feu d'artifice d'effets sonores. Des trompettes et des trombones retentirent de tous côtés, accompagnés de saxophones et de cors de chasse. Les musiciens surgirent de derrière les colonnes des nefs latérales qui les avaient dissimulés jusqu'alors. C'était l'ensemble de cuivres d'un grand orchestre qui, avec la chanteuse et le chœur, édifia un gigantesque mur de son. Et tous reprirent en chœur :

« *All you need is love...* »

Peter pensa aux trompettes de Jéricho et trembla pour les murs de la cathédrale. Ce vénérable édifice n'avait certainement jamais, en plusieurs siècles, été submergé sous de telles ondes sonores. Pourtant,

Juliette rayonnait. Pleine de joie et de gratitude, elle regarda son époux.

— C'est toi qui as organisé tout ça ? demanda-t-elle.

— Dieu du ciel, non ! protesta Peter en se tournant vers Mark.

Celui-ci se contenta de hausser les épaules de l'air le plus candide du monde. D'un hochement de tête, il tenta d'indiquer qu'il n'avait pas la moindre idée de ce qui arrivait. C'est seulement après avoir longuement soutenu le regard perçant de Peter qu'il passa aux aveux, sous la forme d'un sourire timide.

Peter éclata de rire et Mark l'imita, soulagé. Mais l'assistance n'était pas au bout de ses surprises. À peine le portail de l'église fut-il ouvert que des souffleries entrèrent en action, projetant dans l'air des milliers de pétales de roses. Sur une pierre tombale, devant la cathédrale, un guitariste reprit l'air qui résonnait encore dans la nef. Peter et Juliette s'enlacèrent, s'embrassèrent et rirent aux éclats sous la pluie de pétales. Ils étaient les mariés les plus heureux du monde.

La grisaille d'un jour de novembre assombrissait Londres. Dans une autre église, nul rayon de soleil ne faisait écho à la lueur des cierges. Le chœur était rempli d'une mer de fleurs dont le parfum entêtant s'insinuait dans les moindres recoins de l'édifice. Au centre de ce cocon odorant gisait un cercueil dont le bois verni reflétait les flammes des cierges.

Daniel Gilmore et Sam, son beau-fils âgé de onze ans, étaient assis au premier rang. Pour eux, ce jour n'était ni une surprise, ni un véritable choc, car la mère de Sam avait succombé à une longue maladie. Pourtant, le moment des adieux différait de tout ce qu'ils avaient pu imaginer.

Savoir l'être aimé si proche et en même temps si lointain et inaccessible était une expérience que personne ne pouvait comprendre avant de l'avoir vécue. Comme si la mort devenait une apparition venant prendre possession de l'esprit des vivants, sans un mot, mais dans un langage sans équivoque : « Regarde-moi, mortel, je suis la toute-puissance présidant à ta destinée. Rien ne te donnera le pouvoir de préserver tes semblables de ce sort. Si fabuleuses que soient les conquêtes de tes sciences, jamais tu ne vivras éternellement. »

Daniel émergea de ses réflexions lorsque le prêtre prit la parole.

— À présent, Daniel aimerait prononcer quelques mots d'adieu, dit-il doucement.

Daniel se leva après l'avoir remercié d'un signe de tête. Il était de stature imposante, grand et svelte, et son complet noir lui allait à la perfection. Il brancha le projecteur de diapositives et, sur un écran placé à côté du cercueil, apparut un portrait en couleur de sa femme. Daniel se tourna vers les invités, tous vêtus de noir, comme lui.

— Comme vous le savez, dit-il en s'éclaircissant la gorge pour affermir sa voix, Jo et moi avons eu le temps de nous préparer à ce moment. Elle-même ne prenait pas au sérieux toutes les dernières volontés qu'elle exprimait, comme, par exemple, celle d'inviter Nicole Kidman à son enterrement. En revanche, elle tenait absolument à ce que j'exauce d'autres souhaits. Lorsqu'elle a parlé pour la première fois de ce qui allait lui arriver, j'ai dit : « Je préférerais encore mourir », et elle a répondu : « Non, Danny, c'est moi qui vais mourir. » Et, comme toujours, elle avait raison. Elle va à présent vous faire ses adieux, non par mon intermédiaire, mais – comme c'était prévisible – grâce au génie immortel des Bay City Rollers.

Daniel appuya sur un interrupteur. Des haut-parleurs encadrant l'écran s'échappa la chanson lugubre des Bay City Rollers :

« If you hate me after what I say,
Can't put it off any longer
Ooo ooo ooo
I just gotta tell you anyway...
Bye bye baby, good-bye,
Bye baby, baby, bye bye
Bye bye baby, don't make me cry,
Bye baby, baby bye bye... »

Sur l'écran apparurent les Bay City Rollers au temps de leur splendeur, puis d'autres portraits de Jo, et, finalement, une fille de douze ans. C'était, à n'en pas douter, Jo adolescente, parée d'un foulard, d'un chapeau et de badges, insignes du culte qu'elle vouait aux Rollers.

Les personnes présentes sourirent et pleurèrent, tellement ces images étaient joyeuses et tristes à la fois.

« All you need is love... » fredonnait James Bennett, que tout le monde appelait Jamie. Depuis le concert donné dans la cathédrale, le tube des Beatles lui trottait dans la tête. D'humeur joyeuse, il marqua le rythme avec son trousseau de clés avant d'ouvrir la porte de son appartement. Il pénétra dans la vaste salle à manger... et s'immobilisa soudain. L'homme un peu plus jeune que lui qui sortait précipitamment de la chambre à coucher était

23

Chris, son petit frère. Et ce dernier paraissait aussi stupéfait que le propriétaire des lieux.

— Salut, lui dit Jamie, intrigué. Qu'est-ce que tu fous ici ?

— Oh, je... euh... (Chris grimaça un sourire et agita les mains d'un air embarrassé.) Je ne faisais que passer. Je voulais juste t'emprunter quelques vieux CD.

Jamie haussa les sourcils.

— La maîtresse de maison t'a donc laissé entrer ? demanda-t-il.

— Oui, répondit Chris laconiquement, puis il serra les lèvres, s'efforçant visiblement de dissimuler sa gêne.

— Ma foi, c'est tout elle : une brave fi-fi-fille toujours prête à rendre service.

Jamie avait tendance à bégayer, généralement au beau milieu d'une phrase. Il se força à sourire.

— J'ai voulu faire un saut juste avant la réception, pour voir si elle allait mieux, reprit-il. Mais, j'y pense, je me demandais si nous ne devrions pas inviter maman à dîner vendredi, pour son anniversaire ? J'ai l'impression que cette année, nous nous sommes conduits en fils indignes.

— Bonne idée, approuva Chris avec empressement. Ça va sûrement être soporifique, mais d'accord.

Soudain, une voix de femme parvint de la chambre.

— Tu peux mettre de l'eau à chauffer, chéri ? Ce serait gentil.

Jamie haussa de nouveau les sourcils.

— Je suis l'esclave de l'amour, murmura-t-il, et, lentement, comme au ralenti, il se dirigea vers la cuisine. C'est tout de même curieux, poursuivit-il sur le même ton, comme s'il parlait seul, bien qu'il s'adressât à son frère. Mon amie ignore que je suis ici et, normalement, elle t'appelle « Chris » et non « chéri ». À moins qu'elle ne t'appelle ainsi seulement quand je ne suis pas là. Cela signifierait alors que tu ne viens pas ici pour emprunter quelque chose – mettons un vieux disque de Paul Simon – mais pour coucher avec elle derrière mon dos.

— Jamie... (La tête enfoncée dans les épaules et les bras ballants, Chris avait l'air au bord du désespoir.) Que veux-tu que je te dise ?

Jamie s'immobilisa et se tourna vers lui.

— Eh bien, tu pourrais répondre : « C'est faux. Je suis ici parce que j'ai soudain éprouvé le désir irrésistible d'écouter la musique du meilleur ami d'Art Ga-Ga-Garfunkel... »

La voix leur parvint de nouveau :

— Laisse tomber le thé, mon chou ! Je viens de tomber sur une boîte de trois. Si tu retrouves la forme, on aura terminé avant le retour du vieux bande-mou !

Jamie feignit de n'avoir rien entendu et conclut l'exposé de ses réflexions.

— D'un autre côté, tu pou-pou-pourrais aussi bien t'abstenir de faire ce genre de réponse... enfin, si tu étais capable d'un minimum d'honnêteté...

La longue Jaguar noire filait à travers les rues de Londres, escortée de policiers à motos ou en voitures de patrouille et de gardes du corps assurant la sécurité du Premier Ministre dans d'autres limousines noires.

Après avoir prêté serment devant l'ensemble des députés, David Farley se rendait pour la première fois à son ministère, au 10, Downing Street. Seul à l'arrière de la voiture blindée, il se répétait mentalement cette adresse comme pour l'imprimer dans sa mémoire. Pourtant, il s'agissait moins d'apprendre par cœur que de concevoir une réalité. Au 10, Downing Street… c'était maintenant son adresse. L'adresse la plus prestigieuse du Royaume-Uni, l'une des plus importantes d'Europe et du monde, était désormais sienne. Dieu du ciel! Bien qu'il l'ait compris en théorie, il ne parvenait toujours pas à se faire à cette idée.

Il avait remporté la victoire aux élections, haut la main, même. Il avait conduit son parti à la victoire, c'est ce que l'on pouvait lire dans tous les journaux, y compris les plus proches politiquement de son adversaire. Il en allait de même pour les commentaires à la radio et la télévision. Tous lui reconnaissaient un charisme extraordinaire, une personnalité de gagnant. On pouvait déjà prévoir, disait-on, qu'il ne serait pas seulement un jeune Premier Ministre séduisant et extrêmement intelligent. Bientôt, il compterait parmi les hommes d'État les plus importants et les plus estimés. Sa voix donnerait plus de poids à la Grande-Bretagne, y compris face à son grand frère, les États-Unis, qui jusqu'ici avait eu tendance à la considérer comme un simple appendice.

Devant la célèbre demeure de Downing Street régnait le tumulte habituel, que David avait vu mille fois à la télévision. Les cameramen et les photographes s'étaient assuré les meilleures places. Au premier rang des journalistes se tenaient ceux qui brandissaient les micros colorés sur lesquels brillaient les logos des chaînes de télévision et des stations de radio. La presse écrite devait se contenter du second rang. Des policiers surveillaient l'ensemble, en particulier la foule de curieux qui se pressait autour des représentants des médias.

David attendit qu'un garde du corps ouvre la porte de la voiture et lui fasse signe de sortir. Des acclamations enthousiastes le saluèrent avant même qu'il ait complètement émergé de la limousine. Des félicitations fusèrent, ainsi que des recommandations du style : « Ramenez notre pays au premier rang sur la scène internationale, monsieur le Premier Ministre ! » David sourit, adressa des saluts à la ronde et distribua des remerciements polis sur son chemin, dans les éclairs des flashs et le ronronnement des caméras. Des micros en mousse colorée se braquèrent sur lui comme s'ils voulaient le frapper tandis que les questions des journalistes l'assaillaient.

— Comment vous sentez-vous, monsieur le Premier Ministre ?

— Quelle impression cela vous fait-il d'emménager ici ?

— Quel sera votre premier geste ?

— Comment allez-vous passer la soirée ?

David donna les meilleures réponses évasives qu'il avait à son répertoire. Les questions et les félicitations ne semblaient néanmoins pas vouloir prendre fin. Au bout d'un moment, ses gardes du corps parvinrent à le mettre à l'abri dans sa nouvelle demeure. La lourde porte extérieure se referma derrière lui, puis celle de ses appartements, et David put se remettre de ses émotions dans un silence complet. Il s'accorda un moment de détente dans l'atmosphère chaleureuse et accueillante, presque palpable, de « son » chez-lui. Les gardes du corps se retirèrent dans leur salle et David se tourna vers le personnel rassemblé sous les splendides lambris de l'entrée.

Annie Talbot, sa conseillère, s'approcha de lui. C'était une femme de quarante ans, vêtue d'un tailleur classique gris sombre bien assorti à sa personnalité. David la connaissait déjà, car il l'avait vue à des cérémonies officielles au cours du mandat de son prédécesseur. Annie était ce que l'on appelle une maîtresse femme, dont la volonté et l'intelligence passaient pour hors du commun.

— Bienvenue, monsieur le Premier Ministre, dit-elle solennellement.

— Voilà qui sonne bizarrement, répondit David en adoptant son expression de petit garçon espiègle.

— Comment vous sentez-vous? lui demanda Annie.

— Sonné et déboussolé, avoua-t-il.

— Puis-je vous présenter le personnel de la maison?

— Mais bien sûr. Toute pause dans l'exercice de mon mandat sera la bienvenue.

Annie le guida le long de la haie que formaient les employés ; il serra une série de mains en tentant vainement de se rappeler tous les noms. Seuls quelques-uns, liés à d'anciens souvenirs, émergeaient du lot.

— Voici Terence, dit Annie devant l'homme aux larges épaules responsable de l'encadrement technique.

— Bonjour, monsieur le ministre, dit Terence en s'inclinant.

David lui serra la main.

— J'ai eu un oncle qui s'appelait Terence. Je ne pouvais pas le sentir. Je crois que c'était un pervers, dit-il en riant. Mais vous, Terence, vous m'êtes sympathique.

Il se tourna vers l'employé suivant.

— Bonjour, monsieur le ministre, dit ce dernier. Je suis Pat, l'intendant.

— Bonjour, Pat ! s'exclama David en le saluant de la main. Eh bien, avec moi, vous aurez une vie plus facile qu'avec mes prédécesseurs – pas de couches à changer, pas d'adolescents difficiles, pas d'épouse insupportable...

Les employés les plus proches firent écho au rire de leur nouveau supérieur ; quelques autres se contentèrent d'un gloussement dissimulé derrière leur main.

— Et voici Nathalie, monsieur, déclara Annie dans cette atmosphère de gaieté. Elle vient d'arriver, tout comme vous.

David la regarda et fut aussitôt bouleversé par son éclat. Il dut faire un effort pour conserver un sourire détaché et dissimuler son émotion. Nathalie l'avait ensorcelé dès le premier regard et il était impuissant face à son charme. Elle était jeune et belle et son visage respirait une ingénuité presque enfantine. La gentillesse et la chaleur qui émanaient d'elle le captivaient et lui donnaient une sensation de bien-être qu'il n'avait encore jamais éprouvée.

— Bonjour, David, lui dit-elle, très à l'aise, mais aussitôt elle tressaillit et porta la main à sa bouche. Je voulais dire : « Monsieur le Premier Ministre. » Bon Dieu, comment ai-je pu dire une chose pareille ! (Épouvantée, elle se prit la tête entre les mains.) Oh non ! Et maintenant, j'ai dit « Bon Dieu » ! Et deux fois ! Je suis vraiment désolée, monsieur le Premier Ministre.

David fit un geste de la main en riant.

— Ça va, ne vous en faites pas. Vous auriez pu dire « merde » et c'est alors que nous aurions vraiment été en difficulté.

— Merci, monsieur, merci beaucoup, dit Nathalie avec un soupir de soulagement. J'étais sûre que dès mon premier jour ici je ferais une conne... Oh, Bon Dieu !

Elle se mordit les lèvres et ressembla à une petite fille qui, après avoir tiré la langue au professeur, s'attend à la plus terrible des punitions.

Mais David se contenta de rire à nouveau et termina sa tournée de présentation.

— Parfait, dit Annie avec sa fermeté habituelle. Maintenant, je vais chercher mes dossiers et nous pourrons commencer à nous occuper des affaires du pays, d'accord ?

— Je n'y vois pas d'objection, répliqua David.

Il se dirigea vers son bureau et se donna beaucoup de mal pour se retourner sans avoir l'air d'y penser. Il devait absolument regarder Nathalie encore une fois, saisir au vol un dernier regard d'elle. Enfin, lorsqu'il eut refermé la porte du bureau derrière lui, il s'y adossa précipitamment comme s'il avait la police à ses trousses.

— Oh non ! se lamenta-t-il. Bon Dieu, merde ! Ça ne pouvait pas tomber plus mal !

Un petit air pour les amoureux

L'orchestre tentait de jouer une valse. Le fait que cela ne dépassât pas le stade de la tentative ne dérangeait personne dans la salle, tant la soirée était déjà bien entamée. Les musiciens donnaient le meilleur d'eux-mêmes et la joie qu'ils en retiraient était communicative. Peu importait donc que le rythme fût trop lent ou au contraire trop frénétique. Peter et Juliette, les nouveaux mariés, ouvraient le bal pour la quatorzième fois, et, comme à chaque fois, un cercle de spectateurs marquait la mesure en battant joyeusement des mains.

Pour la quatorzième fois, Mark braqua sa caméra vidéo sur le couple. Cela ne le gênait nullement que Sarah, à côté de lui, parle sans interruption dans son téléphone portable. Le couple le fascinait trop. Colin lui-même, un joyeux serveur à la cravate noire mal nouée, parvenait à peine à détourner son attention.

— Que diriez-vous d'un délicieux petit canapé ? demanda ce dernier à Mark en s'approchant de lui après s'être frayé un chemin à travers la foule avec son plateau.

— Non, merci, fit Mark avec un geste de la main, sans détourner les yeux de l'objectif de la caméra.

Colin hocha la tête, sourit et se dirigea vers Sarah.

— Un feu d'artifice pour les papilles, chère petite madame ?

Sarah secoua la tête. Son visage était fermé et elle avait l'air absent. Quelqu'un qui ne l'aurait pas connue l'aurait crue totalement dépourvue d'humour. Colin ne prit cependant pas le temps d'approfondir cette question. Il avait découvert à proximité de la cuisine une jolie jeune femme qui lui fit oublier son accès de découragement passager. Plein d'espoir, il s'approcha d'elle.

— Un canapé ? proposa-t-il en lui tendant le plateau.

— Non, merci, répondit la mignonne.

— Eh bien… dit-il avec un sourire, je vous comprends. (Avec une expression méditative, il contempla les bâtonnets alignés sur le plateau.) Pour tout dire, ça n'a pas l'air très ragoûtant, ces machins-là.

Il en prit un et se le fourra dans la bouche. Avec l'air expert d'un gourmet, il laissa ses papilles gustatives faire leur travail.

— Hum… voyons… diagnostiqua-t-il enfin. Non seulement ça ressemble à des doigts d'extraterrestres, mais ça en a exactement le goût. Oh, à propos, je m'appelle Colin.

— Et moi Nancy, rétorqua la jeune femme avec un visible effort de politesse.

— Oh… êtes-vous parente de la mariée ou du marié ? Ou êtes-vous mêlée à la double vie du vicaire ?

— Non, répondit Nancy sur un ton glacial. C'est moi qui ai préparé les canapés.

— Oh, vraiment cool ! s'exclama Colin en enfournant précipitamment un autre canapé. Hum… oui, oui… dit-il en mastiquant, à la réflexion, ils sont vraiment exquis !

Sans attendre de réponse, il s'enfuit et se faufila par la porte de la cuisine.

Son ami Tony, assis dans un recoin de la pièce, était en tenue de ville. Il était simplement venu tenir compagnie à Colin.

— J'ai enfin compris ! dit Colin en déposant son plateau et en s'asseyant à la table en face de Tony.

— Quoi ? Qu'est-ce que tu as compris ? fit ce dernier.

— Pourquoi je ne peux pas rencontrer le grand amour.

— Ah oui, et pourquoi ? demanda Tony avec un sourire, l'air intéressé.

— Ça ne vient pas de moi, expliqua Colin, mais des Anglaises. Elles sont trop coincées, tu comprends. Et moi, je fais surtout de l'effet aux femmes plus libérées, tu vois... comme les Américaines. En fait, je devrais aller en Amérique. Là-bas, je trouverais tout de suite la femme de mes rêves. Qu'est-ce que tu en dis ?

Tony secoua la tête, l'air sidéré.

— Je dis que tu racontes des conneries, Colin. Les gens sont partout les mêmes. Tu peux aller où tu veux, tu seras partout moche et assommant. Où que tu ailles, les femmes te fuiront.

— Alors là, tu te goures complètement, répliqua Colin avec conviction. Les Américaines se jetteront sur moi à tous les coups, rien que pour mon accent britannique si sexy.

Tony leva les yeux au ciel.

— Mon pauvre vieux, ton accent n'a rien de sexy !

— Mais si, rétorqua Colin avec une obstination puérile. Et je compte bien aller en Amérique.

Tony poussa un soupir.

— Ne fais pas l'imbécile, Colin, dit-il patiemment. Tu es seul, tu es moche et tu es un crétin. Tu dois te rendre à l'évidence, un point c'est tout.

— Jamais, rétorqua Colin avec énergie. Je suis Colin, le dieu du sexe. Je suis juste sur le mauvais continent.

Il adressa un clin d'œil à une serveuse qui arrivait. Le visage de la serveuse se figea, prit une expression glaciale, et elle s'éloigna sans lui accorder un regard.

— Tu vois ! s'exclamèrent en même temps Colin et Tony, car chacun considérait la réaction de la serveuse comme une confirmation de son point de vue.

Lorsque, peu après, Colin retourna dans la salle des fêtes avec son plateau, la quatorzième danse du couple durait toujours, à moins que ce ne fût la quinzième. Colin n'en était pas aussi certain que de ses théories sur l'effet qu'il faisait aux femmes. À vrai dire, tous les airs de l'orchestre se ressemblaient. Peut-être les musiciens avaient-ils joué le même morceau pendant toute la soirée. Ils en étaient bien capables. Entre-temps, Mark avait trouvé un siège et filmait assis. Sa caméra ne quittait pas le couple. Il semblait ne pas se lasser de mettre en boîte les heureux mariés.

Sarah vint s'asseoir à côté de lui. Elle tenait encore son téléphone portable à la main, comme si elle s'attendait à recevoir un appel d'un instant à l'autre. L'air perplexe, elle regarda Mark de côté. Au bout d'un moment, elle lui adressa la parole avec circonspection.

— Tu l'aimes ? dit-elle.

Désarçonné, il posa la caméra et dévisagea Sarah.

— Pardon ? De qui veux-tu parler ? demanda-t-il.

Sarah eut un sourire gêné.

— Eh bien, je... je pensais que je pouvais poser la question sans y aller par quatre chemins, au cas où tu aurais besoin d'en parler avec quelqu'un, mais que personne ne t'aurait encore posé cette question, si bien qu'il t'aurait été impossible d'en parler même si tu l'avais souhaité...

Le visage de Mark se ferma.

— Non, répliqua-t-il brusquement. La réponse est non ! Non et non.

— Oh, je vois, dit Sarah avec un sourire mal assuré, je suppose que ça veut dire non !

— Oui, grommela Mark. Enfin non... euh... (Il reprit la caméra et recommença à filmer en murmurant :) C'est probablement le plus mauvais orchestre de l'histoire de l'humanité, qu'en penses-tu ?

— Tu as sans doute raison, répondit Sarah. Je crois que tout dépendra du prochain morceau qu'ils vont jouer. On va voir ce qu'ils choisiront.

Sur le podium, le chanteur prit le micro.

— Et maintenant, un petit air pour les amoureux ! lança-t-il. Cela ne me surprendrait pas qu'il y en ait beaucoup parmi vous...

Les spectateurs applaudirent, des cris d'enthousiasme fusèrent et les musiciens attaquèrent l'introduction d'un morceau célèbre.

— Oh non, c'est pas vrai ! gémit Mark.

— Tu as raison, confirma Sarah. C'est bien le plus mauvais orchestre de l'histoire de l'humanité.

Sur ce, le chanteur entonna : « *I feel it in my fingers...* »

Le studio d'enregistrement était littéralement coupé du reste du monde. Les pièces sans fenêtres ne laissaient pas filtrer le soleil d'hiver, ce qui permettait aux techniciens et aux artistes de se concentrer sur leur travail.

À cinquante-cinq ans, Billy Mack avait l'air d'une épave. En des temps meilleurs, il avait été un géant de la scène rock. Pourtant, à sa manière, il demeurait séduisant, ce qui lui valait encore des regards admiratifs. Les trois choristes qui se tenaient dans la cabine voisine le contemplaient béatement à travers la vitre insonorisée et chantaient comme si leur vie en dépendait. Billy avait une petite cabine tapissée de noir pour lui tout seul. Dans les écouteurs de son casque, il entendait la musique et les chœurs et il avait de nouveau l'impression d'être au sommet de sa gloire tandis qu'il chantait : « *I feel it in my toes – love is all around me – and so the feeling...* »

Aussitôt, la voix de Joe retentit dans ses écouteurs. Joe Alstyne était le manager de Billy. Il était assis dans la salle de contrôle à côté de l'ingénieur du son. Joe était l'exact opposé d'un séducteur. À quarante ans passés, les cheveux broussailleux et gras, il traînait des kilos en trop qui arrachaient même à ses semblables les mieux disposés envers lui des : « Mon Dieu, quel gros lard ! »

— Désolé, Bill, mais tu as recommencé, gronda la voix de Joe dans les tympans de l'ancienne star de rock.

— Vraiment ? s'étonna Billy.

— Oui, mon vieux.

Billy poussa un soupir.

— C'est parce que je connais si bien l'ancienne version, tu comprends, dit-il.

— Comme nous tous, répondit Joe en s'efforçant de garder son calme. C'est précisément pour cette raison qu'on en prépare une nouvelle.

— Précisément. (Levant le pouce d'un air résolu, Bill donna le signal à travers la vitre.) Allez, c'est reparti !

L'ingénieur du son actionnait les manettes et les touches de sa console avec la virtuosité d'un pianiste. Billy ferma les yeux lorsque l'introduction résonna de nouveau dans ses écouteurs. Il compta les mesures et démarra en vieux routier, en parfaite synchronisation avec la musique :

— « *I feel it in my fingers, I feel it in my toes, love is all...* » et merde ! (Il se mit à gesticuler et à souffler, et il lui fallut un moment pour se calmer.) On recommence, implora-t-il.

Il écouta l'introduction en se concentrant et, de nouveau, son démarrage fut parfait.

— « *I feel it in my fingers, I feel it in my toes, Christmas is all around me.* (Tandis qu'il chantait, il voyait le sourire satisfait de Joe derrière la vitre.) *So if you really love Christmas, come on and let it snow...* »

Billy termina sans aucune faute. Après le signal d'arrêt de l'ingénieur du son, il s'adressa à son manager :

— C'était vraiment de la merde, non ? demanda-t-il.

— Oui, répondit Joe. De la merde en or massif, *maestro*.

Rayonnant, Billy leva le pouce en signe de victoire. Dans la salle de contrôle, l'ingénieur du son ouvrit son journal. Sur la page de titre s'étalait une grande photographie du Premier Ministre.

— Qu'est-ce que tu en penses, Joe ? demanda l'ingénieur. Est-ce que ce type est pédé ? fit-il en tapotant de l'index la photo, qui avait été prise à Downing Street.

— Comme un phoque, répondit le manager en hochant la tête. Je parie qu'il porte des caleçons roses.

Passés les premiers jours au ministère, David Farley s'habituait peu à peu à son travail. Il avait constaté que sa secrétaire Paula Haskins, âgée de soixante ans, était la meilleure qui existait. Il pouvait entièrement se fier à elle, qui n'avait pas son pareil pour faciliter la tâche des nouveaux Premiers Ministres au début de leur mandat. Elle lui apportait plusieurs fois par jour les documents à signer, lui rappelait ses rendez-vous ou lui présentait les dossiers nécessitant une décision de sa part. Ce jour-là, alors qu'un matin pluvieux enveloppait Londres d'un voile gris agité de bourrasques, David lui communiquait les premières instructions importantes de la journée.

— J'aimerais que Ian soit ici à cinq heures, dit-il, et il attendit qu'elle l'eût noté sur son bloc-notes. Et prévenez George que je le flanque à la porte dans trois minutes. Qu'est-ce que je peux faire d'un ministre des Transports qui arrive toujours en retard ?

Comme d'habitude, Paula Haskins lui confirma qu'elle avait pris note de toutes ses instructions avant de quitter son bureau. La salle lambrissée, meublée d'un bureau imposant et d'armoires de classement non moins impressionnantes, faisait plus que toute autre sentir à David l'importance de sa fonction. Dans ce cadre, ses décisions prenaient tout leur poids et lui-même acquérait la dignité dont ses prédécesseurs avaient été auréolés. Lorsqu'ils étaient sortis du 10, Downing Street, pour s'exposer au regard critique de l'opinion publique, cette dernière leur avait reconnu toutes les qualités – de la compétence à la bienveillance paternelle – que les sujets de Sa Majesté attendaient de Ses plus hauts fonctionnaires.

Aussitôt après le départ de Paula, David entendit de nouveau frapper à la porte de son bureau.

— Entrez ! cria-t-il en s'attendant à voir apparaître le ministre des Transports.

Il se réjouit d'autant plus de voir Nathalie.

Elle déposa un plateau à l'autre bout du bureau et une pile de dossiers à côté de David.

— C'est pour vous, dit-elle en montrant le plateau sur lequel étaient posées une tasse de thé et une assiette contenant trois biscuits. Et ça... dit-elle en tapotant les dossiers... ça vient tout droit du ministère des Finances.

David sourit, incapable d'interrompre le flux de paroles de Nathalie.

— Vous savez, dès le début, j'avais espéré que vous gagneriez les élections, dit-elle. Bien sûr, j'aurais aussi été très aimable avec l'autre. Seulement... (Les coins de ses lèvres se relevèrent, creusant des fossettes espiègles.)... je ne lui aurais donné que les biscuits nature, pas ceux au chocolat.

— Merci, fit doucement David, qui se sentit fondre dans son confortable fauteuil de bureau.

Nathalie lui rendit son sourire et tourna les talons. Lorsqu'il fut de nouveau seul, il courba la tête, accablé, et heurta du front le buvard de son bureau.

— Bon sang ! gémit-il. Mon vieux, tu es Premier Ministre !

Au même moment, dans un autre quartier de la ville, un autre homme avait également la tête posée sur son bureau. C'était Daniel, qui se trouvait seul dans le bureau de sa maison. Depuis la mort de Jo, il traversait de longues périodes de silence et de profonde tristesse.

À un moment donné, avec un effort visible, il releva la tête, décrocha le téléphone et composa un numéro.

— Karen ! s'exclama-t-il joyeusement lorsqu'on répondit à l'autre bout de la ligne. C'est moi, Daniel. Tu as un peu de temps ? Excuse-moi de te déranger, mais il se trouve que je n'ai absolument personne d'autre avec qui parler.

Karen avait toujours été là quand il avait eu besoin d'elle, y compris pendant la période atroce où la maladie de Jo n'avait fait qu'empirer.

— Bien sûr qu'on peut parler, répondit Karen. (À l'arrière-plan, on entendait des voix d'enfants.) Seulement, ce n'est pas le moment idéal. Je peux te rappeler un peu plus tard ?

— Bien sûr.

— Tu sais, ça ne veut pas dire que la mort de ta femme ne m'a pas secouée.

— Mais oui, je sais, fit Daniel. Rappelle-moi plus tard.

Avec un sourire douloureux, il reposa le combiné. Il se représentait Karen, incarnation de la bonté, virevoltant en tous sens dans sa pimpante petite maison.

Karen avait près de quarante-cinq ans et, malgré les enfants, la cuisine et le ménage, c'était encore une femme séduisante. Sa fille Daisy, âgée de six ans, était la plus ravissante petite fille que Daniel connût. Bernie, son fils de dix ans, traversait en ce moment une période difficile, mais c'était un gamin éveillé.

Karen retourna au fourneau et aux kebabs de poulet qu'elle préparait pour le dîner de ses enfants.

— Alors, fit-elle en s'affairant, quelles sont les nouvelles du jour ?

— On nous a distribué nos rôles, répondit Daisy. Tu sais, pour la crèche de Noël. Je joue un homard.

— Un homard, répéta Karen ahurie.

— Oui, un homard, fit Daisy comme s'il s'agissait de la chose la plus naturelle du monde.

— Pour la crèche de Noël ? insista Karen.

— Mais oui ! confirma Daisy en hochant vigoureusement la tête. Je suis le Premier Homard.

Fronçant les sourcils, Karen s'efforça de garder toute son objectivité.

— Cela veut-il dire qu'à la naissance de Jésus, il y avait des homards ? Plusieurs homards ?

— Évidemment ! s'écria Daisy au bord de l'indignation.

— Bien sûr, bien sûr, s'empressa de répondre Karen pour couper court à un accès de mauvaise humeur. Et toi, Bernie ?

Adossé à l'encadrement de la porte, Bernie avait l'air renfrogné.

— Je voulais être un homard, mais je dois jouer un ange, dit-il. Je peux pas sentir les anges. C'est rien que du toc.

— Oh, je ne dirais pas ça, avança prudemment Karen. Je crois que de nos jours ils n'ont plus d'ailes, c'est pourquoi nous ne les reconnaissons pas. Ils ont sûrement l'air tout à fait normal, comme toi et moi, mais ils sont très intelligents et ils parcourent le monde pour faire le bien.

Bernie secoua la tête d'un air méprisant.

— Dans la pièce, ils ne font rien. Ils restent plantés là comme des pots de fleurs à répéter : « L'enfant Jésus, n'est-il pas merveilleux ? » Pourtant, tout le monde sait que c'est juste un poupon débile. Je veux être un homard. (Tout en sortant de la pièce, il déclara :) Toby dit qu'oncle David est un imbécile.

Karen réussit à garder son sang-froid.

— Eh bien, il a sûrement raison, répondit-elle.

— Et je déteste les kebabs, lança Bernie, venimeux, avant de disparaître dans l'escalier.

— Quel charmant petit garçon tu fais ! soupira Karen en haussant les épaules, mais son fils ne l'avait probablement pas entendue.

James Bennett savait depuis longtemps que rien ne lui mettrait plus de baume au cœur qu'un vieux mas français. Il avait donc fait preuve de clairvoyance en acquérant un tel joyau, niché dans les sauvages et romantiques montagnes du sud de la France.

Chaque fois que, tournant le dos à l'Angleterre, il se réfugiait de l'autre côté de la Manche, il sentait aussitôt l'action bienfaisante de ce lieu. Dès son arrivée, toute tension l'abandonnait comme un fardeau insignifiant et ridicule.

Il en fut de même cette fois-ci, après qu'il fut parti de Londres en coupant tous les ponts derrière lui. Il inspira profondément en ouvrant la porte du mas. Cette demeure était un écrin, la quintessence de la sécurité et du secret. Il éprouvait par avance la joie du moment où il se détendrait devant le feu crépitant dans la cheminée, lové comme un fœtus au creux du canapé.

Il devait d'abord aérer la maison, y laisser pénétrer la lumière et le bon air du Sud. Après avoir déposé les valises au milieu du salon, il ouvrit les fenêtres dont les encadrements étaient ornés de petits anges sculptés.

Plus tard, il porta sa machine à écrire dans le bureau, la posa sur la table et s'assit devant elle. Il se sentait détendu et délivré comme cela ne lui était plus arrivé depuis longtemps.

Enfin seul, se dit-il. Évidemment.

Daniel Gilmore était heureux de se rendre au concert de l'école avec Karen. Cela lui faisait du bien de ne pas se retrouver seul au milieu des autres spectateurs, ce qui n'aurait fait que souligner sa solitude. Cependant, tandis que le chœur de l'école chantait, ses soucis l'accablèrent de nouveau comme s'ils pesaient une tonne.

Ils avaient choisi « *Catch a falling star* », le merveilleux vieux tube de Perry Como, hommage aux grands-parents que cette chanson avait fait vibrer au temps de leur adolescence.

Au milieu des visages joyeux du chœur, un seul paraissait abattu et plein de mélancolie : celui de Sam, le beau-fils de Daniel. Même en compagnie de ses camarades d'école, il ne parvenait pas à retrouver sa gaieté d'autrefois.

Cela faisait du bien à Daniel d'être avec Karen. Du reste, elle se rendait généralement aux spectacles de l'école sans Harry, son époux, toujours retenu par ses obligations professionnelles. Après le concert, Karen et Daniel s'offrirent un cappuccino au bar tenu par les professeurs et les lycéens. Sam refusa obstinément de leur tenir compagnie. Après avoir marmonné un « Je rentre à la maison », il s'enfuit comme si rien ne lui était plus insupportable qu'une présence humaine.

— Il était déjà déprimé avant la mort de Jo, dit Daniel alors qu'ils pénétraient dans l'entrée de sa maison, mais, depuis quelques semaines, c'est pire. (Il montra l'escalier.) Il s'enferme dans sa chambre. Je parie qu'il y est encore en ce moment.

— Ça n'a rien d'extraordinaire, répondit Karen. En ce qui concerne mon horreur de fils, je prie le Ciel pour qu'il y passe tout son temps...

— Oui, mais enfin... reprit Daniel en secouant la tête, Sam ne sort plus de la sienne. Tu sais, j'ai peur qu'il ait vraiment un problème. Je veux dire, c'est normal qu'il pleure sa mère, mais il pourrait aussi bien s'injecter de l'héroïne dans la pomme d'Adam que je n'en saurais rien.

— À onze ans ?

— Bon, d'accord, peut-être pas dans la pomme d'Adam, seulement dans les veines.

D'un geste, Daniel fit signe à Karen de le suivre. Ils traversèrent le salon et sortirent sur le balcon comme ils le faisaient souvent lorsqu'ils voulaient parler.

— Et il écoute de la musique toute la journée, ou bien il regarde des vidéos, reprit Daniel. L'ennui, c'est que jusqu'ici c'était sa mère qui parlait avec lui, et je ne sais pas... (Il réfléchit en faisant la moue.) Enfin, toutes ces conneries qu'on raconte sur les beaux-pères, ça n'avait joué aucun rôle auparavant, mais maintenant, tout d'un coup...

— Hé là, du calme ! s'exclama Karen. C'était pourtant clair que ça allait être un moment très difficile à passer. Prends patience... et regarde de temps en temps sous son lit pour vérifier qu'il n'y a pas de seringues.

Daniel eut un sourire reconnaissant.

— D'accord, c'est promis, fit-il.

Son sourire s'effaça tandis que d'autres souvenirs lui revenaient.

— Parfois, quand il sort de sa chambre, je vois qu'il a pleuré. (Daniel poussa un profond soupir, comme si tout son chagrin remontait à la surface.) Oh, Karen, c'est terrible ! Et si par-dessus le marché ça doit détruire la vie de Sam...

Les larmes lui montèrent aux yeux. Karen posa la main sur son épaule et lui adressa un sourire réconfortant.

— Ressaisis-toi. Les lavettes n'arrivent à rien avec les femmes. Aucune d'elles ne s'enverra un type qui passe son temps à gémir.

Daniel souriait encore en reconduisant Karen vers la sortie. Il se sentait visiblement mieux.

— Merci d'être venue. Tu dois avoir assez à faire comme ça en ce moment, avec David et tout le reste.

— Non, je le vois à peine, répondit Karen en posant la main sur son épaule. À propos, j'ai fait des recherches sur Nicole Kidman en pensant à toi. Il y a quelques pages Internet fantastiques sur elle. Au moins, tu aurais de quoi t'occuper pendant tes soirées solitaires.

Daniel la repoussa avec une feinte indignation.

— Ne te montre pas indécente, s'il te plaît ! Et maintenant, dehors ! Il faut que je prépare le dîner.

— Eh bien, voilà ! répliqua Karen avec un sourire. C'est l'occasion rêvée de renouer les liens familiaux. D'après mon expérience, avec les kebabs de poulet, tu es sûr de mettre dans le mille.

Daniel accueillit avec joie le conseil de Karen et se précipita au supermarché. Plus tard, lorsqu'il eut sorti du micro-ondes le plat préparé cher aux enfants, il monta l'escalier en courant et s'arrêta devant la porte de la chambre de Sam.

— C'est l'heure de dîner ! annonça-t-il, encore essoufflé.

La réponse de Sam était à peine perceptible au-dessus du bourdonnement de la stéréo :

— Je n'ai pas faim !

— Mais Sammy, s'exclama Daniel déçu, j'ai fait des kebabs de poulet !

— Lis le mot sur la porte, répondit la voix inflexible du garçon.

C'est alors seulement que Daniel remarqua le bout de papier collé à la porte avec un morceau d'adhésif. On pouvait y lire en gros caractères : « J'AI DIT : JE N'AI PAS FAIM ! »

— Bon, bon, murmura Daniel, accablé.

Colin Frissell, en pleine forme, fredonnait une chanson en tapotant en rythme le volant de sa voiture ; il freina brusquement en apercevant une jeune femme au bord du trottoir. Pendant qu'elle traversait, il lui adressa un aimable sourire et leva le pouce d'un air approbateur. Elle se détourna aussitôt avec une expression de dégoût qui ne laissait place à aucun doute. Colin haussa les épaules et redémarra.

À un bloc de là, son ami Tony Frazer l'attendait comme convenu. Colin se gara. Tony ouvrit la portière de la voiture et se laissa tomber sur le fauteuil du passager.

— J'ai un scoop ! annonça Colin en redémarrant.

— Ah oui ? rétorqua Tony.

— J'ai pris un billet d'avion pour les États-Unis. Je pars dans quinze jours.

— Oh non ! fit Tony.

Horrifié, il dévisagea son ami.

— J'ai trouvé un coin super : le Wisconsin.

— Non !

— Si ! s'exclama Colin, triomphant. Oyez, gentes dames du Wisconsin, voici venir le chevalier Colin !

— Bon Dieu, Colin, arrête de déconner ! se lamenta Tony. D'accord, il y a des poulettes très sexy là-bas, mais je peux te garantir qu'elles sont toutes maquées avec des types pleins aux as. Je suis prêt à parier que tu vas atterrir dans un bar miteux et finir dans le lit d'une gonzesse qui sera le portrait craché de ta mère. Et ce n'est pas un compliment. Je parle par expérience : j'ai fait l'essai.

Colin éclata de rire.

— Tu parles, tu es jaloux ! Tu sais très bien que dans n'importe quel bar des États-Unis, il y a au moins dix femmes premièrement, plus jolies, et deuxièmement, plus disposées à s'envoyer en l'air avec moi que toute la population féminine du Royaume-Uni.

— C'est vraiment n'importe quoi, soupira Tony. Tu dérailles, mon vieux.

— Mais non ! Je suis un petit malin, c'est tout ! Là-bas, aux *States*, je serai le prince William sans sa famille assommante.

Désespéré, Tony se prit la tête entre les mains.

— Bon Dieu, Colin ! Je parle sérieusement ! Tu es timbré !

Colin se tordait de rire sans pouvoir s'arrêter.

Élégant et dynamique, Colin entra dans le bureau de la fondation Fairtrade en portant ses cartons de sandwichs comme s'il s'agissait d'un plateau dans un restaurant cinq étoiles. Il se sentait toujours bien dans cet endroit, qu'il trouvait palpitant. Parmi la cinquantaine d'employés, le personnel féminin était nettement majoritaire. Colin avait l'impression d'être attendu chaque matin avec impatience – en tant qu'être humain et en tant que messager délivrant les commandes passées par téléphone à son employeur Brendan's Bread & Breakfast.

Dans les locaux de Fairtrade régnait un chaos bien réglé. Chaque espace libre entre les bureaux et les étagères était bourré d'échantillons de marchandises – café, thé et cacao dans des sacs en papier, bananes et mangues dans des cartons, sucre dans des petits sacs en tissu blanc, jus d'orange dans des bouteilles transparentes. Une partie des employés passait son temps à courir en tous sens pour déplacer des papiers d'un bureau à l'autre ou les transporter dans une autre pièce. Cependant, la majorité téléphonait continuellement – en anglais, mais également en espagnol, en français et en swahili. Un bourdonnement digne de la tour de Babel flottait dans l'espace comme un tapis volant.

Colin savait que Fairtrade achetait à des prix équitables ses produits agricoles à de petits fermiers du monde entier pour les revendre ensuite. Il était fier de livrer des sandwichs à une fondation au but si noble. Rayonnant, il déposa sa pile de cartons sur le bureau habituel et leva le pouce pour saluer une jeune femme particulièrement jolie. Il avait appris son nom, Mia. Arrivée depuis peu chez Fairtrade, elle devait encore s'adapter à son nouvel emploi. Un poste de radio était posé sur son bureau, mais la musique qui s'en échappait était presque noyée dans le brouhaha général. Ce matin-là, comme les autres, Mia ignora le livreur de sandwichs. Il la suivit d'un regard rêveur tandis qu'elle se levait et, contournant son bureau, se dirigeait vers une porte donnant sur le bureau de Harry Trevor, le directeur de Fairtrade. Mia frappa à la porte.

— Entrez ! lança Harry d'une voix sonore.

Mia obéit et s'immobilisa devant la porte. Harry portait l'un de ses complets dernier cri. Il avait dépassé la quarantaine et il était l'image même de l'homme d'affaires sérieux.

— Sarah aimerait vous parler, annonça Mia.

— Merveilleux ! se réjouit Harry. Et vous ? Vous vous adaptez ?

— Très bien ! affirma Mia avec un sourire.

S'effaçant pour laisser entrer Sarah, elle s'éclipsa d'une démarche à la grâce étudiée.

— Bonjour, Sarah ! Comment allez-vous ? s'enquit Harry avec bienveillance.

— Bien, répondit Sarah. (Elle avait cependant l'air mal assuré tandis qu'elle s'approchait et, sur l'injonction de son supérieur, s'asseyait dans le fauteuil face à lui.) En tout cas, mes performances se sont nettement améliorées depuis que je travaille avec l'économiseur d'écran à l'effigie de Harry Potter.

— C'est ce que j'avais remarqué, répliqua Harry, puis il se pencha en avant, croisa les mains sur son bureau et lui adressa un sourire paternel. Bon, maintenant, débranchez votre portable et dites-moi un peu : depuis combien de temps au juste travaillez-vous chez nous ?

Sarah obéit à son injonction avant de répondre.

— Cela fait maintenant deux ans, sept mois et trois jours. Et… deux heures, ajouta-t-elle en consultant sa montre.

— Très bien, fit Harry en hochant la tête. Et depuis combien de temps êtes-vous amoureuse de Karl, notre mystérieux mais séduisant directeur du graphisme ?

Pétrifiée, bouche bée, Sarah fixa son supérieur du regard. Il lui fallut un moment pour se remettre du choc, car elle avait toujours été persuadée que personne ne savait rien de son amour secret pour Karl.

— Euh... deux ans, sept mois, trois jours et, je crois, une heure et trente minutes, avoua-t-elle finalement. Au début, pendant la première demi-heure, je me sentais encore très à l'aise.

— C'est bien ce que je pensais, commenta Harry.

Sarah le dévisagea, consternée.

— Croyez-vous que tout le monde soit au courant ? demanda-t-elle.

— Oui.

— Croyez-vous que Karl soit au courant ?

— Oui.

Sarah ferma les yeux, puis les rouvrit.

— Ce sont de mauvaises nouvelles, à plus d'un égard, dit-elle.

— Je me disais justement qu'il serait peut-être temps d'agir.

Harry sourit, décroisa les bras, puis, écartant les doigts des deux mains, les posa les uns contre les autres.

— Comment ? demanda Sarah dans un souffle.

Harry fit une moue.

— Invitez-le à prendre un verre, proposa-t-il. Et après vingt minutes de conversation, laissez tomber en passant que vous voulez l'épouser, coucher avec lui le plus souvent possible et avoir beaucoup d'enfants.

— Comment le savez-vous ? s'étonna Sarah.

— Je le sais. Et Karl le sait aussi. Alors pensez-y – ne serait-ce que pour faire plaisir à vos collègues.

— Oui, bien sûr, fit Sarah en hochant la tête avec le plus grand sérieux. Très bien. J'y penserai. Merci beaucoup, monsieur.

Tandis qu'elle se levait et s'apprêtait à sortir, elle put vérifier l'exactitude du fameux proverbe « quand on parle du loup... », car la porte s'ouvrit et un homme incroyablement séduisant entra... Karl.

— Bonjour, Sarah, dit-il aimablement.

— Bonjour, Karl, répondit-elle sur un ton détaché.

Lorsqu'elle fut sortie du bureau, elle s'immobilisa et inspira profondément. Puis elle rebrancha son téléphone portable. Il sonna aussitôt. Elle répondit.

— Allô, mon chou, dit-elle doucement. Bien sûr. Raconte.

Elle s'approcha de Mia qui était de nouveau assise à son bureau.

— Vous êtes Mia, n'est-ce pas ? Cela vous dérangerait-il d'éteindre la radio ? À ce moment de la journée, je ne supporte pas cette chanson.

Mia pressa une touche et « *Christmas is all around* » s'interrompit.

Une fête pour ceux qui s'aiment

— Eh oui, c'était bien lui ! s'exclama le disc-jockey Chris Zachary dans le micro de la station de radio locale. C'était le cadeau de Noël de l'ex-star Billy Mack ! Bon sang, comment peut-on dégringoler aussi bas ! Que dire d'autre ? Simplement que c'est le plus mauvais tube du siècle, et...

Il s'interrompit à la vue de son collègue Michaël Simmons derrière la vitre du studio. Mike secouait la tête d'un air horrifié en se passant l'index devant la gorge. Chris jeta un coup d'œil au programme de l'émission posé devant lui et tressaillit en comprenant qu'il venait de commettre une gaffe monumentale.

— Ah, au fait, s'empressa-t-il d'ajouter, par le plus grand des hasards, Billy est aujourd'hui l'invité de l'émission de mon cher collègue Mike... qui commence dans quelques minutes. Bienvenue à bord, Billy, nous sommes contents de te revoir !

Au foyer de la station où le programme en cours était retransmis par haut-parleur, Billy Mack et Joe Alstyne attendaient, assis dans des fauteuils. Tous deux étaient visiblement au trente-sixième dessous et lessivés, mais il n'y avait dans les parages personne qui aurait pu s'intéresser à leur sort.

Dix minutes plus tard, Billy était assis dans le studio à côté de Michaël Simmons.

— Et maintenant, j'ai l'honneur de saluer Billy Mack ! lança Michaël dans le micro. Billy, sois le bienvenu pour ton retour dans les hautes sphères avec un nouveau tube pour Noël, une reprise de « *Love is all around* ».

— Sauf que nous avons remplacé « *love* » par « *Christmas* », dit modestement Billy.

— Oui... « *Christmas is all around* », « Noël est partout présent » ! Est-ce un message qui joue un rôle important dans ta vie, Bill ?

— Non, pas vraiment, en fait, répondit Billy en secouant tristement la tête. Noël est la fête de ceux qui ont quelqu'un pour les aimer.

— Et ce n'est pas ton cas ?

— Non, malheureusement. Quand j'étais jeune et que j'avais du succès, j'étais idiot et cupide. Maintenant, je n'ai plus personne et je suis vieux et ratatiné.

— Oh ! fit Mike, impressionné. Merci, Billy.

— De quoi ? répliqua la star de rock vieillissante.

— Eh bien, simplement d'avoir répondu à une question avec sincérité. Je peux te dire que ça n'arrive pas souvent ici, sur Radio Wapping.

Billy eut un sourire.

— Demande-moi ce que tu veux et je dirai la vérité, dit-il.

Mike eut un large sourire.

— Ton meilleur coup ? demanda-t-il.

— Britney Spears, répondit Billy. Non, non, je plaisantais, ajouta-t-il précipitamment. En réalité, elle était nulle. Non, bon, ça aussi c'était une blague.

— O.K., fit Mike d'une voix traînante, et maintenant, une question sérieuse : que penses-tu de ta reprise comparée à l'ancienne version ?

— Ah, Mike, répondit Billy en secouant la tête d'un air las, tu sais aussi bien que moi que cette nouvelle version est minable. Mais, dis-moi, ça serait pas fantastique si le numéro un au hit-parade de Noël était décroché non par un petit jeune imbu de lui-même, mais par un ancien héroïnomane vieux, moche et prêt à tout pour faire son *come-back*? Toutes ces jeunes stars passent le soir de Noël à poil sur le dos pendant qu'une groupie bien chaude, perchée sur eux, joue à la balançoire. Moi, je moisis dans un hôtel miteux avec mon manager Joe, l'homme le plus laid de la Création, et je me sens minable parce que tous nos projets ont échoué. Alors, chers petits enfants, si vous croyez au père Noël comme l'oncle Billy, achetez son disque débile et amusez-vous bien avec le clin d'œil crado de la quatrième ligne, où nous essayons de caser une syllabe supplémentaire.

— Je suppose que tu fais allusion à « *If you really love Christmas...* », commenta Mike.

— Exactement, Mike. « *... Come on and let it snow...* » Aïe, ça fait vraiment mal !

— Eh bien, ce n'est pas la première ni la dernière fois que nous l'entendrons, prédit Mike, l'outsider de la course annuelle pour le hit de Noël... « *Christmas is all around* »! Merci, Billy. Et pour finir, les nouvelles du jour! En page de titre : « Le Premier Ministre serait-il déjà en difficulté ? »

David Farley était mécontent et ne faisait rien pour le dissimuler. En reconduisant le ministre des Transports et son conseiller hors de son bureau, il le leur signifia sans équivoque :

— Désolé, George, mais il me faut plus que ça. Les gens n'acceptent plus cette manière de tourner autour du pot. Sinon, ils auraient élu les autres zombies.

Il referma la porte derrière les deux hommes qui s'éclipsaient, penauds. Un instant plus tard, on frappa à la porte et Nathalie entra.

— Nathalie ! s'exclama le Premier Ministre, dont le visage s'éclaira.

— Monsieur le Premier Ministre, répondit-elle comme elle avait entre-temps appris à le faire.

Elle portait une pile de dossiers qu'elle déposa sur le bureau et s'apprêta à ressortir.

— Oh, au fait... intervint David, l'arrêtant dans son élan, je commence à me sentir mal à l'aise, alors que nous sommes toute la journée si... si proches, de... d'en savoir si peu sur vous. À mon avis, c'est une attitude élitiste et une grave erreur.

Nathalie baissa la tête, l'air gêné, puis elle leva les yeux.

— Je n'ai pas grand-chose à raconter, dit-elle.

— Où habitez-vous ? demanda David.

— À Wandsworth. Dans le mauvais secteur.

— Ma sœur habite également à Wandsworth, répliqua-t-il. Où se trouve au juste le mauvais secteur ?

— Entre la fin de High Street et le début de Harris Street, juste à côté de Queen's Head.

David hocha la tête d'un air méditatif et les coins de sa bouche s'abaissèrent.

— C'est vrai, ce n'est pas le meilleur endroit, dit-il. Et vous vivez avec votre ami ? Ou avec votre mari ? Ou avec trois enfants illégitimes mais ravissants ?

Nathalie rosit.

— Non, monsieur le ministre. Je viens de me séparer de mon ami et, en ce moment, j'habite de nouveau chez mes parents.

— Oh, je suis désolé.

— Non, ça ne fait rien. Ça va beaucoup mieux depuis que je suis débarrassée de lui. (Afin de dissimuler sa gêne, elle commença à classer les dossiers posés sur la table.) Il a dit que je devenais grosse, ajouta-t-elle à voix basse, visiblement honteuse.

— Pardon ? s'exclama David.

— Il a dit que personne n'appréciait une fille avec un tour de cuisses comme celui d'un tronc d'arbre. Pour tout dire, ce n'était pas quelqu'un de très gentil.

David s'assit derrière son bureau comme s'il voulait se remettre au travail.

— Eh bien, dit-il sur un ton détaché, savez-vous qu'en usant de ma position de Premier Ministre, je pourrais lancer un contrat sur lui ?

— Merci, monsieur le ministre, j'y songerai, répondit Nathalie avec un sourire, le visage détendu.

— Oui, songez-y, acquiesça David avec un signe encourageant. Un simple coup de fil, et des tueurs implacables à l'entraînement militaire se lanceront à ses trousses.

Leurs regards se rencontrèrent et tous deux éclatèrent de rire. Lorsque Nathalie sortit, il comprit qu'il l'avait réconfortée et égayée.

— Mon Dieu, soupira-t-il en fixant une peinture à l'huile qui représentait une Margaret Thatcher au regard inflexible, avez-vous connu ce genre de situation ? Je suppose que non, conclut-il après avoir contemplé un instant son prédécesseur.

Dans sa tenue de loisirs – jeans, gros pull irlandais et tennis –, Mia Jermyn était l'exacte opposée de l'employée élégante et vêtue à la dernière mode qu'elle incarnait chez Fairtrade. Pourtant, rien ne pouvait porter atteinte à sa beauté. Elle déambulait en compagnie de Mark Doherty dans sa galerie d'art, au milieu d'une multitude de tableaux encore emballés.

— Quel moment palpitant, disait-il. Sous ces emballages triviaux se dissimule notre nouvelle exposition... des photos du grand John Siekart, pas moins !

— Palpitant, en effet, acquiesça Mia. Quel est le thème de l'expo ?

— Il m'a dit : Noël. La famille, tout ça, enfin le truc pour le grand public, répondit Mark en saisissant un premier paquet. Eh bien, c'est parti... Oh, intéressant ! s'exclama-t-il lorsque la photo apparut. Étonnant... épouvantable !

Lorsque Mia vit ce que Mark venait de déballer, elle devint pensive. C'était la photo grand format d'une femme nue dont les poils pubiens avaient été soigneusement rasés en forme d'arbre de Noël.

Une heure plus tard, Mark sombrait dans le désespoir. Mia, qui était allée leur chercher des cafés chez Starbucks, posa les deux gobelets en carton sur le sol et s'assit à côté de Mark. Pour égayer un peu l'atmosphère, elle alluma la radio.

— Mon Dieu ! se lamentait Mark. C'est de la pornographie ! De la pornographie pure et simple ! La police des mœurs va faire une descente dans cette galerie !

Sirotant son café, Mia l'observait par-dessus le bord du gobelet.

— J'ai dans l'idée d'avoir une petite aventure avec mon supérieur. Qu'est-ce que tu en penses ? demanda-t-elle.

— Il est marié ?

— Oui.

— Alors ce n'est pas une bonne idée, décida Mark. Les vœux du mariage sont sacrés.

— C'est vrai, bien qu'à mon avis, pour ces choses-là, le mieux soit de suivre son instinct.

— Oh non, s'écria Mark, alarmé, ne fais surtout pas ça !

Le sourire de Mia se fit séducteur.

— Je pourrais aussi bien avoir une petite aventure avec toi, dit-elle.

— Ah non ! répondit Mark en levant les yeux au ciel.

— Pourquoi ? demanda Mia, ébahie.

— N'approfondissons pas, coupa Mark. (Pendant un instant, il la contempla d'un air extatique.) Es-tu aussi ravissante au bureau ?

— Oui, mais dans un autre style.

— Alors il est perdu, n'est-ce pas ?

— Je crois que oui, répondit Mia avec un sourire énigmatique.

Elle alluma une cigarette. À la radio, on entendit le présentateur annoncer : « Encore six semaines avant Noël, et ils sont en route vers le chiffre magique, le numéro un au hit-parade… J'ai nommé Westlife ! »

Le lendemain, Mia était dans le bureau de Harry Trevor. Elle avait subi la métamorphose extérieure dont elle avait parlé à Mark : elle portait un tailleur gris très ajusté qui mettait en valeur son corps parfait d'une manière à la fois simple et raffinée.

— Maintenant, parlons un peu de cette fête de Noël, dit Harry. Ce n'est pas précisément la soirée de l'année que je préfère et vous allez avoir la tâche ingrate de l'organiser.

— Je vous écoute, répliqua Mia.

— N'en faites pas trop. Trouvez-nous un local qui convienne. Veillez à faire le plein de boissons, commandez du guacamole en quantité déraisonnable et prévenez les employées de croiser au large de Kevin si elles ne tiennent pas à se faire tripoter les seins.

— Ce sera fait. Et qu'en est-il des épouses, des parents et *tutti quanti*?

— Comme il se doit. Je veux dire, pas d'enfants, mais les épouses, les petites amies et autres conjoints sont invités. (Harry s'interrompit soudain et dévisagea Mia avec effroi.) Mon Dieu, auriez-vous par hasard pour ami un affreux vieillard de quatre-vingt-un ans avec des dents en or et comptez-vous l'inviter?

— Non, répondit Mia sur un ton apaisant. Je vais me planter sous le gui et attendre qu'on vienne m'embrasser.

Sur ce, elle adressa à Harry un regard brûlant et l'air du bureau parut soudain se charger d'électricité.

— Ah... euh, vraiment, bafouilla Harry. Eh bien...

Il ne pouvait voir le sourire de Mia, qui se dirigeait vers la porte, la tête haute et avec une démarche d'une grâce incomparable. Le trouble qu'il éprouvait persista plusieurs minutes. Il secoua la tête et cligna frénétiquement des yeux, dans l'espoir de remettre un peu d'ordre dans ses pensées.

À côté, Mia était de nouveau assise devant son ordinateur et ses doigts minces frappaient les touches avec aisance. Son visage reflétait une assurance sans faille signifiant à toutes les personnes présentes qu'elle maîtrisait à la perfection son travail – et, plus généralement, tout ce qu'elle entreprenait.

Au même instant, des millions de touches cliquetaient à travers l'Europe et le monde. Généralement, il s'agissait de claviers d'ordinateurs. L'une des rares exceptions se trouvait en France, dans un joli mas rénové des environs de Marseille. À l'intérieur, dans un bureau, des doigts masculins vigoureux martelaient les touches d'un appareil dont les moqueurs proclamaient l'appartenance à l'âge de pierre.

De tels sarcasmes ne troublaient nullement James Bennett. La machine à écrire et le papier étaient des outils de travail dont il ne voulait se séparer à aucun prix. À son avis, trop de processus mystérieux se déroulaient à l'intérieur d'un ordinateur, trop d'éléments incompréhensibles entraient en contact avec ses pensées avant qu'elles n'apparaissent sur l'écran. En revanche, les touches d'une machine à écrire imprimaient les lettres sur le papier de manière claire et audible. Pour Jamie, le cliquetis du clavier constituait la preuve acoustique d'un travail de création et de production.

On frappa à la porte du mas. Jamie reconnut la présence d'Éléonore. Il était capable d'identifier les rares personnes qui venaient s'égarer chez lui, en pleine campagne, à leur manière de frapper à la porte. Surtout Éléonore, son intendante. Venaient ensuite le facteur et quelques voisins éloignés.

Jamie ouvrit et constata qu'il ne s'était pas trompé.

— Bonjour, monsieur Bennett, dit l'intendante, une femme d'âge mûr à l'air résolu.

— Bonjour, Éléonore, répondit Jamie avec un sourire réjoui.

Cela faisait du bien d'être de retour ici, parmi des gens auxquels on pouvait se fier.

— Soyez le bienvenu, fit Éléonore. (Elle parlait anglais avec un fort accent français.) Êtes-vous accompagné, cette fois-ci?

— Non, répondit Jamie, j'ai changé mes projets.

— Quel dommage, dit Éléonore, dont le regard prit une expression compatissante. Restez-vous jusqu'à Noël?

— Oui, après quoi, je retournerai dans le sein accueillant de ma famille.

— Très bien, l'approuva Éléonore sur le ton d'une mère louant son fils. Et cette fois-ci, j'ai trouvé la personne idéale pour faire le ménage chez vous. Je vous présente Aurélia, fit-elle avec un geste de la main vers la gauche.

Jamie haussa les sourcils. Il dut franchir le seuil pour apercevoir la personne qui accompagnait Éléonore et qui s'était jusqu'ici tenue hors de son champ de vision. Aurélia était une femme d'environ trente-cinq ans aux cheveux sombres et à l'air sympathique. Elle avait un joli visage et elle était vêtue d'une robe simple et bon marché.

— Bonjour, Aurélia, dit aimablement James.

— Bonjour, répondit-elle à voix basse, la tête respectueusement penchée.

Jamie s'essaya au français. Il avait un accent anglais effroyable.

— Je suis t-t-très heureux de vous avoir ici, dit-il.

Aurélia le regarda, l'air ahuri.

— Elle ne parle malheureusement pas français, tout comme vous, expliqua Éléonore. Elle est portugaise.

Le visage de Jamie s'éclaira.

— Ah, ah ! s'exclama-t-il. *Buon giorno !* Euh… Eusebio… *molto bueno* ! dit-il en imitant un joueur de football qui dribble et tape dans un ballon.

— Je crois qu'elle est née dix ans trop tard pour se rappeler l'existence d'un footballeur nommé Eusebio, intervint Éléonore. Et « *molto bueno* » est un mélange d'italien et d'espagnol.

— Ah oui, bien sûr, répondit Jamie, qui revint à sa langue maternelle. Ravi de faire votre connaissance, dit-il en tendant la main à Aurélia.

— Peut-être pourriez-vous la reconduire chez elle quand elle aura terminé son travail, suggéra Éléonore.

— Mais bien entendu, approuva Jamie sans détourner les yeux d'Aurélia. *Con grande plesoro.*

— Qu'est-ce que c'est, du hongrois ? s'enquit Éléonore, déconcertée.

— Oui, affirma Jamie. Ça veut dire : avec grand plaisir.

Une musique étrangement douce filtrait de la chambre de Sam lorsque Daniel passa devant, ce samedi matin. Des sons psychédéliques, supposa-t-il, qui devaient être en harmonie avec l'humeur de Sam.

Secouant la tête, Daniel poursuivit son chemin et descendit l'escalier menant à son bureau. Il entra, s'assit et alluma l'ordinateur. Un planning de travail apparut sur l'écran. Il l'avait lui-même programmé mais, ce matin-là, ce texte l'ennuya au plus haut point et lui parut aussi rébarbatif qu'un formulaire administratif.

Il se connecta à un moteur de recherche puis tapa le mot clé « Nicole Kidman ». Aussitôt, une liste de dix adresses de sites Internet consacrés à sa star de cinéma favorite apparut à l'écran. La quatrième était intitulée : « Nicole Kidman nue. »

Daniel cliqua sur cette adresse et une photo envoûtante de Nicole surgit, suivie d'une série d'autres clichés intitulés « Galerie 1 », « Galerie 2 », et ainsi de suite. Il cliqua sur l'un d'eux, et une multitude de photos de Nicole Kidman en plus petit format apparurent à l'écran. Sur un certain nombre d'entre elles, elle n'était pas entièrement habillée. Il cliqua à deux reprises sur l'une des images, mais au lieu de l'agrandissement attendu surgit un formulaire indiquant à l'usager qu'il devait donner le numéro de sa carte de crédit pour obtenir satisfaction.

Pour Daniel, il était hors de question de rentrer dans ce genre de combines. Il cliqua donc sur « fermer » pour sortir du site. Cependant, au lieu de se vider, l'écran se remplit soudain de photos de jeunes femmes nues. Le site était intitulé « XXX Ados salopes ».

Daniel entendit soudain une voiture s'arrêter devant chez lui. Il ferma précipitamment « XXX Ados salopes », mais d'autres sites ne cessaient d'apparaître, aux contenus de plus en plus pornographiques et aux intitulés de plus en plus lapidaires et vulgaires. Plus il s'efforçait de les fermer, plus ils se multipliaient sur l'écran. Finalement, il n'en resta plus qu'un, intitulé « Femmes zoophiles », qui racolait avec des photos sans équivoque.

Daniel réprima un cri de fureur. Il tenta de fermer l'effroyable site, mais la photo incriminée, comme figée, refusait de disparaître.

À l'instant même, on sonna à l'entrée. Daniel fut pris de panique en constatant qu'il ne pouvait plus déplacer le curseur, si bien qu'il était impossible de neutraliser ce maudit site. Il se leva d'un bond, se rua sur la prise de l'ordinateur et l'arracha. Rien n'y fit. L'image obscène demeurait à l'écran, aussi immuable qu'une affiche. Daniel regarda frénétiquement autour de lui, à la recherche d'une solution. Dans son désarroi, il ne lui vint pas de meilleure idée que d'ôter son pull-over pour le jeter sur l'ordinateur.

Il se précipita dans l'entrée pour ouvrir la porte. Son beau-père se tenait sur le seuil.

— Bonjour, Matthew ! s'exclama Daniel, un peu essoufflé.

Ils se serrèrent la main, se regardèrent un instant sans parler et tombèrent dans les bras l'un de l'autre. Jo occupait toutes leurs pensées.

— Je suppose que c'est encore très dur pour toi ? demanda finalement Matthew.

— Oui, confirma Daniel à voix basse. Entre et viens t'asseoir.

— Avec plaisir, répondit Matthew. J'ai apporté un cadeau pour mon petit-fils. C'est grâce à lui que j'ai commencé à utiliser l'ordinateur que tu m'as donné.

— Vraiment ? s'étonna Daniel.

— Oui, et figure-toi que j'ai trouvé un site de golf fantastique. Mais tiens, je pourrais te le montrer, au fait. Où est ton ordinateur ?

— Euh… fit Daniel en élevant la main en un geste de défense, si on prenait d'abord un verre… ?

— Non, non, j'insiste, l'interrompit son beau-père. Où est ton ordinateur ? Dans ton bureau, je parie.

Sans attendre de réponse, il se dirigea vers le bureau où l'attendait l'effroyable révélation.

Au désespoir, Daniel se creusait la cervelle tout en suivant Matthew. Il comprit qu'il devait laisser la fatalité suivre son cours. Le peu de temps qui lui restait ne suffirait pas pour trouver une excuse plausible.

Matthew ôta le pull-over de l'ordinateur et Daniel se prépara au choc qui allait s'ensuivre, mais la surface noire de l'écran indiquait que ce dernier s'était éteint. Daniel respira, plein de gratitude pour ce répit.

Avec l'assurance d'un expert, Matthew appuya sur une touche et l'image à l'intitulé choc, « Femmes zoophiles », réapparut à l'écran. Matthew se redressa comme au ralenti, se retourna avec la même lenteur et dévisagea Daniel. Ce dernier lui rendit son regard et, soudain, à la dernière seconde, l'inspiration salvatrice lui vint.

— Oh non ! s'exclama Daniel d'un air écœuré, c'est vraiment répugnant ! Sam ! Où est Sam ? Cette fois-ci, ça va vraiment trop loin !

Il tourna les talons et monta l'escalier quatre à quatre. En haut, il ouvrit la porte de la chambre de son beau-fils et lui demanda sans préambule :

— Tu veux gagner cinquante livres, oui ou non ?

— Je préférerais cent, lui répondit son beau-fils du tac au tac.

— Très bien, fit Daniel en hochant la tête, alors ne réagis surtout pas dans les minutes qui vont suivre et approuve tout ce que je dirai.

— Ça marche, dit laconiquement Sam.

— Parfait, conclut Daniel, satisfait, avant de poursuivre d'une voix tonnante :... descends avec moi, jeune homme, et au trot !

Dès qu'ils entrèrent dans le bureau, Daniel montra du doigt l'écran de son ordinateur.

— Qu'est-ce que c'est que ça ? demanda-t-il, l'air furibond.

Sam haussa les épaules.

— Je ne sais pas, on dirait un site Internet sur les femmes qui ont des relations sexuelles avec des animaux, répondit-il.

— Et comment est-ce arrivé ici ? gronda Daniel. (Il s'interrompit aussitôt, car il lui apparut qu'à ce stade le contrôle des événements risquait de lui échapper.) Très bien, moi, je vais te l'expliquer. Tu as utilisé mon ordinateur pour regarder ces cochonneries, oui ou non ?

— Oui, répondit Sam.

— Je ne sais plus quoi dire, lança Daniel en secouant la tête d'un air découragé. J'espère qu'au moins tu as honte.

— Oui, j'ai honte.

— C'est vraiment dégoûtant.

— Oui, je sais.

— Ne te frappe pas pour ça, intervint Matthew. Nous avons chacun notre manière de faire notre travail de deuil. Peut-être est-ce la tienne, Sam. Alors contentons-nous d'éteindre ça, acheva-t-il avec un sourire bienveillant.

Il se pencha vers l'ordinateur et pressa un bouton placé à l'arrière. L'écran s'éteignit. Daniel resta pétrifié sur place.

— Comment as-tu fait ? s'écria-t-il.

— J'ai appuyé sur ce bouton placé à l'arrière qui permet d'éteindre l'écran.

— Ah oui, dit Daniel, désarçonné. Très pratique !

— Et maintenant, oublions tout ça, proposa Matthew.

— Je ne suis pas près de l'oublier, le contredit Daniel et, se tournant vers Sam, il ajouta : Je suis vraiment en colère, jeune homme, alors pendant un mois, plus d'argent de poche !

Une heure après ce pénible incident, Daniel et Sam s'approchèrent d'un distributeur automatique. La machine cracha les billets qu'on lui réclamait et Daniel les déposa un à un dans la main de Sam.

— ... quatre-vingts, quatre-vingt-dix, cent, dit-il en lui donnant une claque sur l'épaule. Tu as bien travaillé, mon fils.

Avec un sourire rusé, Sam roula les billets et les fourra dans la poche de son pantalon.

— Il y a juste une chose que je ne comprends pas, lui demanda-t-il sur le chemin du retour. Pourquoi es-tu allé regarder des zoophiles sur Internet ?

— Je ne voulais pas les regarder, répondit Daniel. Je travaillais et, euh, je devais faire des recherches sur Nicole Kidman. Quand j'ai voulu fermer ce foutu site, tout ce merdier a débarqué sur l'écran.

Sam hocha la tête comme s'il ne s'était pas attendu à autre chose.

— Tu as dû cliquer sur « Nicole Kidman nue », dit-il.

— Mais non ! se défendit piteusement Daniel.

— Mais si ! répliqua Sam, inflexible. C'est le numéro quatre sur la liste des sites consacrés à Nicole Kidman. Si tu avais simplement cliqué sur « Nicole Kidman », ça ne serait jamais arrivé.

Daniel mit un moment à répondre.

— Bon, d'accord, admit-il enfin, j'ai cliqué sur « Nicole Kidman nue », espèce de petit salaud cupide !

Il se mit à rire.

— Gros pervers ! rétorqua Sam en ricanant.

— Informaticien dégénéré ! lança Daniel.

— Mateur de pornos honteux ! gloussa Sam.

— Non content de m'extorquer du fric, tu te coiffes avec un pétard ! dit Daniel en montrant Sam du doigt.

Tous deux éclatèrent de rire et ils n'étaient pas encore calmés en arrivant devant chez eux. Ils comprirent qu'ils étaient enfin devenus amis, car c'était la première fois qu'ils riaient ensemble depuis la mort de Jo.

La question de l'aide au développement était à l'ordre du jour. David Farley avait convoqué dans son bureau Alex Carter, le ministre de l'Aide au développement, afin d'avoir un entretien avec lui. Nathalie leur apporta comme convenu une tasse de café et une assiette de biscuits, et voulut se retirer discrètement.

— Un instant, Nathalie, intervint David. Que diriez-vous d'une augmentation de l'aide au développement pour les pays du tiers-monde ? Foutaises humanitaires ou politique responsable ?

— Je crois que ce ne serait pas une mauvaise idée, répondit Nathalie. Nous pourrions très bien nous en tirer avec un peu moins pour donner un peu plus aux pauvres de ces pays.

— Très bien, approuva David. Vous voyez, Alex, dit-il à son interlocuteur, l'opinion publique est de mon côté.

Nathalie se dirigea vers le bureau et reprit l'assiette de biscuits.

— Commencez donc par donner l'exemple, lança-t-elle avec malice.

Le visage de David s'allongea.

— Finalement, dit-il à Carter tandis que Nathalie sortait du bureau, ce n'est peut-être pas une si bonne idée…

Lorsque l'écho de leurs rires fut éteint, Daniel osa enfin se jeter à l'eau.

— Bon, et maintenant, qu'est-ce qui ne va pas, Sammy ? demanda-t-il. C'est seulement à cause de ta mère, ou il y a autre chose ? C'est à l'école ? Quelqu'un te menace, te fait chanter, ou pire encore ? Peux-tu au moins me donner un indice ?

— Tu veux vraiment le savoir ?

— Oui.

— Même si tu ne peux rien faire pour m'aider ? demanda Sam en le regardant avec une expression où le doute le disputait à l'espoir naissant.

— Je veux quand même le savoir, confirma Daniel.

— Bon, lui répondit Sam en inspirant profondément. La vérité, c'est que je suis amoureux.

— Pardon ? lâcha Daniel.

— Je sais qu'en ce moment je devrais penser seulement à maman, répondit Sam à voix basse. J'y pense, d'ailleurs, mais je n'y peux rien si je suis amoureux. Je l'étais déjà avant la mort de maman et je ne peux rien y changer.

Daniel commençait à se remettre de sa surprise.

— N'es-tu pas un peu jeune pour être amoureux ? dit-il.

— Non.

— Bon, fit Daniel, pensif. Je dois dire que je me sens plutôt soulagé.

— Pourquoi ? demanda Sam en le regardant.

— Eh bien, tu comprends, je croyais que c'était beaucoup plus grave.

Sam secoua la tête, l'air incrédule.

— Qu'y a-t-il de pire que d'aimer sans espoir ? demanda-t-il.

— Euh… rien, tu as raison, répondit Daniel. Au fait, qu'est-ce que tu fabriques toute la journée dans ta chambre ? demanda-t-il après un temps de réflexion.

— Viens, ordonna Sam.

Il semblait à présent très heureux de pouvoir dévoiler ses secrets.

Il conduisit directement son beau-père à sa chambre. Daniel franchit le seuil et entra, stupéfait, dans un lieu où tout n'était que symboles d'amour et de romantisme. Les murs étaient couverts d'affiches de films sur ces thèmes : Daniel reconnut fugitivement *Nuits blanches à Seattle, Moulin-Rouge* et *Dirty Dancing*.

Sam brancha son lecteur de CD et Dusty Springfield se mit à chanter son langoureux « *You don't have to say you love me* ». Se dirigeant vers une armoire, Sam ouvrit un tiroir, révélant une collection de vidéocassettes et de DVD. Là aussi, ce n'étaient qu'histoires d'amour. De *Roméo et Juliette* à *Quand Harry rencontre Sally*, tous les films d'amour des trente dernières années étaient représentés.

Sam actionna une télécommande et Leonardo DiCaprio apparut à l'écran dans son rôle de Roméo américain. Un projecteur illumina soudain de manière spectaculaire une photo de DiCaprio et de Kate Winslet fixée à l'arrière d'un aquarium, qui montrait les amants du *Titanic* au milieu des poissons.

— Ça alors ! s'exclama Daniel. On pourrait difficilement trouver un plus grand nombre de variations sur l'amour dans une même pièce !

— C'est comme ça, expliqua Sam. J'ai cherché dans les films quelques trucs pour m'aider et ça me fait du bien d'écouter des chansons.

Le téléphone portable de Daniel sonna. Il répondit.

— Si ça ne va toujours pas, tu peux venir dîner à la maison, lui dit Karen.

— Non, merci, répondit Daniel, je crois que je commence à remonter la pente.

— Voilà ce que j'appelle une bonne nouvelle, fit Karen, visiblement réjouie. Tu me raconteras tout ça demain.

Elle raccrocha.

— Dieu soit loué, dit-elle à son mari. À vrai dire, je suis plutôt soulagée que Daniel ne puisse pas venir. Bernie se conduit vraiment comme un saligaud quand nous avons des invités…

Assis dans son fauteuil préféré, Harry était plongé dans la lecture du journal. Sans même relever la tête, il répondit par un « hum » négligent. Il avait l'air beaucoup moins intéressé par ce que disait sa femme que par ce qui se passait dans son bureau à Fairtrade.

En se dirigeant vers le canapé, Karen passa devant un miroir fixé au mur et jeta un coup d'œil morose à son reflet.

— Mon Dieu, soupira-t-elle, quand mon derrière cessera-t-il de grossir ? Il est pourtant déjà monstrueux.

Cette fois-ci, Harry leva la tête et regarda sa femme d'un air inexpressif.

Karen se laissa choir sur le canapé à sa place habituelle.

— Tu as parlé à Sarah ? demanda-t-elle.

— Oui, répondit-il. Elle m'a dit qu'elle allait franchir le pas ce soir.

Au même moment, Fairtrade était un lieu mort. Presque tous les bureaux étaient inoccupés.

Cependant, Sarah s'attardait encore dans la grande salle. Bien qu'elle sût qu'elle était seule, elle jeta un regard furtif autour d'elle avant de sortir de son sac à main un miroir de poche et un bâton de rouge à lèvres.

Harry lui avait révélé que, ce soir-là, Karl resterait plus tard au bureau. Un cargo était entré au port avec un lot de bananes du Pérou qui devait parvenir à destination le plus rapidement possible. Sarah estimait qu'à présent, Karl devait être au bout de ses peines.

Elle-même avait prétexté l'étude des statistiques de vente du café colombien pour justifier ses heures supplémentaires. Certaines de ses collègues avaient néanmoins pris congé d'elle avec des « Quoi ? Tu n'es pas encore partie ? ».

Sarah rangea le miroir de poche et le rouge à lèvres dans son sac en entendant une porte se fermer à l'arrière du bâtiment. Elle caressa du regard la photographie encadrée d'un beau jeune homme posée sur son bureau et un sourire doux et tendre se forma sur ses lèvres.

Karl venait de refermer la porte de son bureau. Pour sortir, il devrait traverser la grande salle et passer devant Sarah.

Lorsque Karl s'approcha d'elle, elle sentit son cœur se serrer et eut l'impression d'entendre son sang gronder dans ses oreilles. Elle s'efforça d'avoir l'air détendu et, en même temps, de rassembler tout son courage. Mon Dieu, elle pouvait bien lui adresser la parole pour l'inviter à prendre un verre ! Tout le monde savait que de nombreuses relations intimes se nouaient sur les lieux de travail et, de toute façon, il n'y avait rien de gênant à inviter un collègue que l'on connaissait depuis deux ans, sept mois et bientôt quatre jours…

— Bonsoir, Sarah, à demain, dit poliment Karl.

— Bonsoir, Karl, répondit-elle.

Il était déjà sorti. Sarah resta figée sur place. Cette fois-ci, elle ne s'était pas attendue à un nouvel échec. Elle avait l'impression que le sol venait de se dérober sous ses pieds. Lorsque son téléphone portable sonna, c'est d'une voix absente qu'elle répondit.

— Oui, j'ai tout mon temps… Raconte.

Activités physiques

Il était tard. Les lumières étaient éteintes dans la plupart des maisons du quartier, mais le problème que Daniel et Sam devaient régler ne souffrait aucun délai. Tous deux étaient assis face à face dans le salon, chacun sur un canapé.

— Nous pouvons venir à bout de tes difficultés, affirma Daniel, plein d'énergie. Tu sais, moi aussi, j'ai été jeune. Allez, raconte... c'est quelqu'un du lycée, non ?

— Oui, répondit Sam avec réticence.

— Et qu'éprouve-t-elle – ou il – pour toi ?

— Elle ! En fait, elle ne connaît même pas mon nom, répondit Sam. Et, même si elle le savait, ça ne l'intéresserait pas. Elle a deux ans de plus que moi et tous les types du lycée sont à ses pieds parce que... eh bien, elle est tout simplement sublime.

— Bon, fit Daniel sur un ton résolu, très bien. Nous devons donc partir de l'hypothèse que tu es plutôt mal barré, c'est bien ça ?

Sam acquiesça.

Daniel proposa alors de faire une pause et approuva la suggestion de Sam de la meubler avec une vidéo. Ils décidèrent de regarder *Dirty Dancing*. Après la scène finale s'achevant sur un numéro de danse très athlétique de Patrick Swayze, Daniel eut une idée.

— Écoute un peu, dit-il à Sam, c'est juste une idée, mais peut-être pourrais-tu utiliser tes talents sportifs pour la conquérir ? Ce serait très sexy et dans le vent, non ?

Sam se leva, exécuta un saut périlleux impeccable et se dirigea vers la cuisine. Il en revint avec un Coca-Cola.

— Non, répondit-il. C'est une artiste qui méprise toutes les formes d'activité physique.

— Merde, grommela Daniel, elle va nous donner du fil à retordre.

La femme étreignait une colonne de marbre pendant que l'homme la prenait par-derrière. Tous deux étaient habillés des pieds à la tête, mais leurs gestes et leur expression étaient ceux d'un couple se livrant à un acte sexuel passionné.

Le décor était un salon à l'aménagement ultramoderne, baignant dans la lumière crue de projecteurs. La pièce était encadrée par les cloisons élevées d'un studio de cinéma.

— C'est parfait, merci ! cria le chef opérateur. On arrête tout !

Autour de lui, l'équipe se lança aussitôt dans des discussions animées. L'homme et la femme étaient des doublures. Ils se séparèrent et commencèrent à bavarder sans plus s'occuper de leur entourage.

— Je t'assure, aujourd'hui, j'ai cru que je n'arriverais jamais. Il y avait un de ces embouteillages ! dit l'homme.

— Oui, c'était incroyable, approuva la femme.

— Oh, à propos, moi, c'est John.

— Ravie de faire ta connaissance, John. Moi, c'est Judy.

— Fantastique, répliqua John.

L'assistant du metteur en scène s'approcha d'eux. C'était Tony Frazer, l'ami de Colin Frissell, l'homme qui cherchait son bonheur auprès des femmes du Wisconsin. En cet instant, Tony n'avait pas l'air précisément enchanté des obligations professionnelles qu'il devait remplir.

— Judy, dit-il, euh... pourriez-vous maintenant enlever le haut ? Il faut indiquer aux éclairagistes et aux cadreurs à quel moment on voit les pointes de seins. À cause des ombres, vous comprenez.

— Oui, bien sûr, pas de problème, s'empressa de répondre Judy, puis elle eut un petit rire mal assuré. Ici, au moins, il fait chaud, dit-elle à son partenaire.

— Tu l'as dit, répondit John. Dans ce boulot, il faut s'attendre à tout. Un jour, j'ai doublé Brad Pitt, et...

— Excusez-moi, mais il faut faire vite, intervint Tony. On doit boucler la scène avec les acteurs avant le déjeuner.

— Pas de problème, déclara Judy d'un air compétent.

— Je te promets que je ne regarderai pas, l'assura John.

Elle rit de nouveau, ôta son pull-over et défit son soutien-gorge, puis elle regarda John avec une expression qui signifiait : « Que peut-on y faire ? » Au signal, ils recommencèrent à mimer l'acte d'amour que les acteurs étaient censés accomplir. L'assistant du chef opérateur s'approcha d'eux et tint un posemètre devant la poitrine de Judy.

— Autre chose, John, fit Tony. Pourriez-vous poser les mains sur les seins de Judy ?

John suivit l'instruction.

— Et massez-les, s'il vous plaît ! ajouta Tony.

John obéit également à cet ordre.

— Vraiment, ces embouteillages, c'est de pire en pire, dit-il à sa partenaire. Surtout le matin. Je me demande jusqu'où ça va aller...

Seules quelques voitures passaient de loin en loin sur la route. Dans la leur, un silence de mort régnait depuis le départ. Il semblait que le calme de la vallée cernée d'imposantes montagnes se fût communiqué aux deux personnes assises à l'intérieur du véhicule.

Jamie savait cependant qu'il n'en était rien. Depuis le départ, il cherchait frénétiquement un sujet de conversation, quelques phrases à jeter négligemment ou même seulement quelques mots. Pourtant, rien ne lui venait à l'esprit, rien dont il puisse s'entretenir avec Aurélia. Sa gorge était nouée et son cerveau ne produisait rien qui eût permis à ses cordes vocales de travailler.

Son ensorcelante compagne de voyage semblait être dans la même situation, mais du point de vue de Jamie, cela faisait une légère différence. Et cela ne le consolait guère de savoir que seule une tradition désuète l'engageait, en tant que gentleman, à faire la conversation à la dame confiée à ses soins.

Quand bien même ce n'aurait été qu'une conversation à bâtons rompus... l'essentiel étant de contribuer, si peu que ce fût, à tuer le temps. Bon, il y avait aussi la barrière de la langue, qu'il pouvait

78

admettre comme excuse – du moins à ses propres yeux. À vrai dire, ce n'était pas une excuse valable, car il pouvait toujours s'exprimer par gestes. Partout dans le monde, les gens réussissaient à se faire comprendre par ce moyen quand ils n'en avaient pas d'autre. Alors pourquoi diable ne se mettait-il pas à gesticuler et à grogner comme un chimpanzé ? Cela réjouirait certainement Aurélia. Tout bien réfléchi, peut-être n'apprécierait-elle pas que son employeur fasse le singe. La vision du paysage splendide qui les entourait lui apporta enfin le sujet de conversation salvateur.

— *Bello !* dit-il avec un sourire, puis, en montrant les collines et les montagnes vertes, *bella !*

Aurélia lui adressa un regard interrogateur.

— Belles... *montagno*, précisa-t-il en désignant les montagnes. *Agua !*

Il embrassa le bout de ses doigts afin de montrer combien le paysage le ravissait.

Aurélia fronça les sourcils et un soupçon d'inquiétude apparut dans ses yeux sombres à l'expression méditative.

— Non, non, tout va bien, s'empressa-t-il d'ajouter avec un rire contraint. Le silence est d'or, comme disent les Tremolos. Des petits malins, ceux-là. Mais je crois que la version originale était de *Frank Valli and the Four Seasons.* F-f-fantastique, comme groupe. Ah... (Il secoua la tête avec consternation.) Ferme-la ! ajouta-t-il pour lui-même.

Il fixa la route déserte à travers le pare-brise comme si conduire requérait toute sa concentration.

Au studio, on tournait une nouvelle scène. À présent, John et Judy étaient sur un grand lit dans le même appartement ultramoderne. Ils mimaient de nouveau un rapport sexuel, mais cette fois-ci, John était sur le dos et Judy à califourchon sur lui, le haut de son corps toujours dénudé.

Tony s'approcha du lit. Son embarras n'avait fait qu'augmenter.

— Désolé, les gars, dit-il, cette fois-ci c'est ma faute. C'est à cause des effets de lumière sur la peau... Bref, Jerry – le metteur en scène – aimerait que vous enleviez tous vos vêtements.

— Moi aussi ? demanda John.

— Oui.

John adressa un sourire à Judy.

— Ah, qu'est-ce qu'on ferait pas pour un peu de pognon ! chuchota-t-il.

— C'est bon ! cria le cameraman lorsque le couple se fut dévêtu. On la refait !

Nus comme des vers, John et Judy recommencèrent à s'agiter. Ce faisant, ils bavardaient.

— Que penses-tu de notre nouveau Premier Ministre ? demanda John.

— Je le trouve bien, répondit Judy, mais je ne comprends pas pourquoi il n'est pas encore marié.

— Oh, ces types-là, on les connaît ! Ils sont mariés avec leur travail. C'est sûrement ça – ou alors, c'est un pédé.

— Autre chose, Judy ! lança Tony du demi-cercle que formait l'équipe de tournage. Pourriez-vous faire pencher vos seins un peu plus vers la gauche ?

— Ce qui est vraiment bien avec toi, Judy, c'est qu'on peut parler, reprit John. Je suis ravi de t'avoir rencontrée.

— Merci, répondit-elle, c'est réciproque. (À cet instant, comme elle se penchait un peu trop, la

pointe de ses seins effleura le front de l'homme.)
Oh, désolée ! souffla-t-elle, contrite.

— C'est parfait ! cria Tony. On a fini avec les doublures. Les acteurs vont arriver d'un moment à l'autre.

Tous les ministres du nouveau gouvernement
étaient rassemblés au 10, Downing Street.

— Bien... avant de commencer, entama le Premier Ministre, il nous faut résoudre un problème
majeur sur le plan national. (Il tendit à la ministre
de la Famille assise à sa droite un paquet de bul-
letins de vote à distribuer, puis il poursuivit en
élevant la voix :) Il me paraît essentiel que notre
gouvernement présente un front uni sur les questions d'actualité décisives. C'est pourquoi je
demanderai à chacun d'entre vous, après mûre
réflexion, de choisir l'air qui, selon lui, sera le hit
de Noël.

Tous les ministres éclatèrent de rire.

— Il ne reste plus qu'un mois avant Noël !
s'exclama David Farley. Qui soutient mon favori,
« *Christmas is all around* » ?

Tous les visages autour de lui reflétèrent un sentiment d'horreur sans mélange. Des protestations
fusèrent.

— Bonté divine !

— Pas question !

— Plutôt mourir !

— C'est Westlife qui l'emportera !

David eut une grimace affligée.

— Je ne m'étais pas attendu à des réactions
aussi violentes ! reprit-il.

— Monsieur le Premier Ministre ! s'exclama Stephen Fry, le ministre de la Défense, Billy Mack a

encore moins de chances de s'en tirer qu'une boule de neige en enfer ! Cela porterait gravement atteinte au prestige de notre gouvernement de soutenir un pareil tocard !

— Oui, oui ! approuvèrent les membres de son gouvernement.

— Très bien, répliqua David, nous en reparlerons. Tout de même, j'aurais attendu un peu plus de soutien de votre part, bande d'ingrats, dit-il avec un sourire machiavélique. Bon, et maintenant, quelle est la suite du programme ?

— La visite du Président des États-Unis, répondit Alex Carter.

— Ah oui, fit David en hochant la tête. Surtout, enfermez bien vos filles. (Des éclats de rire l'interrompirent.) Non, sérieusement, je crois qu'il va nous donner du fil à retordre.

Alex Carter, le ministre de l'Aide au développement, prit la parole.

— L'opinion la plus répandue dans le parti et, à vrai dire, dans tout le pays, est que nous ne devrions pas nous laisser forcer la main comme le gouvernement précédent, lança-t-il.

— Très juste ! appuya le ministre de l'Économie, Jeremy Bingham. Ce sera notre première mise à l'épreuve. Montrons-nous fermes.

— Oui, oui... acquiesça David avec un geste apaisant. Je comprends très bien, mais j'ai décidé de ne pas...

Un concert de protestations et de soupirs l'interrompit. Il reprit la parole sur un ton qui sonnait comme un rappel à l'ordre.

— Bien entendu, nous tenterons d'agir avec discernement, fit-il, mais nous ne devons pas oublier que nous ne sommes qu'un petit pays parmi d'autres et que l'Amérique est la plus grande puissance du monde. Nous pouvons nous estimer heureux d'être au nombre de ses amis et nous devons agir en conséquence. Il est donc hors de question que je me conduise en enfant mal élevé...

Les murmures qui s'élevèrent exprimaient une approbation réticente. David sourit.

— Bien, c'est réglé, dit-il. Et maintenant, je me demande combien de temps il faudra encore attendre pour obtenir une tasse de thé et un biscuit au chocolat.

Au même instant, la porte du cabinet s'ouvrit brusquement et Nathalie entra avec un grand plateau chargé de tasses fumantes et d'assiettes de biscuits.

— Merveilleux ! murmura David, gêné, car il ignorait si Nathalie avait entendu sa remarque.

Trois jours plus tard, une foule immense était rassemblée dans Downing Street plusieurs heures avant le grand événement. Londres accueillait son hôte venu des États-Unis par un ciel sans nuages et sous un soleil éblouissant.

Un murmure traversa la foule, suivi de cris d'enthousiasme, tandis qu'une grande limousine noire approchait. Elle s'arrêta devant les gardes en uniforme et les deux portières de droite s'ouvrirent. Les spectateurs attendirent en retenant leur souffle.

Deux gorilles à l'air sévère sortirent de la voiture, saluèrent les gardes d'un signe de tête et regardèrent autour d'eux avant de donner le feu vert à leur protégé. Des applaudissements éclatèrent lorsque le Président des États-Unis sortit à son tour de la limousine. C'était un homme grand et séduisant qui possédait l'aura d'une star d'Hollywood. Le visage rayonnant, il leva la main et adressa un salut à ses adorateurs britanniques. Des cris de joie fusèrent et les regards langoureux de plusieurs des dames des premiers rangs n'échappèrent pas à l'intéressé. Il leur adressa un clin d'œil collectif avant de se diriger vers l'entrée du 10.

Le Premier Ministre attendait son illustre invité devant l'entrée. Derrière lui se pressaient des hommes politiques, des journalistes et le personnel du 10, Downing Street. Le Président et le Premier Ministre échangèrent une poignée de main d'une minute destinée aux médias. Ils sourirent ensemble aux flashs des photographes et aux projecteurs des caméras. Tous deux étaient des hommes extrêmement compétents dans leur domaine, mais quelques différences extérieures à peine perceptibles les séparaient. Le Président des États-Unis était l'image même de l'assurance inébranlable tandis que le Premier Ministre britannique, tout en reflétant le même degré d'assurance, avait une attitude plus réservée.

— Quel dommage que votre épouse n'ait pu vous accompagner, dit-il tandis qu'ils franchissaient la porte du ministère.

— C'est également son opinion, répondit le Président avec un large sourire, mais je crois qu'elle se serait tout de même sentie un peu seule.

— Oui, c'est terrible, n'est-ce pas ? fit David avec un sourire de feinte compassion. Vous semblez multiplier les conquêtes. Je ne suis cependant pas sûr que les conquêtes féminines fassent très bon ménage avec la politique.

— Oh, vraiment ? répondit le Président en lui jetant un regard amusé. Personnellement, cela ne me pose aucun problème.

David éclata de rire.

— Évidemment, la différence entre vous et moi est pourtant claire. Vous êtes intolérablement séduisant tandis que moi, je ressemble de plus en plus à ma tante Mildred, c'est pourquoi...

Il s'interrompit en voyant Nathalie s'approcher dans le couloir. Lorsqu'elle les eut dépassés, le Président se retourna pour la suivre du regard.

— Ah, voilà ce que j'appelle une belle femme ! dit-il.

— Oui, approuva David. C'est... effectivement une... charmante personne.

Le ciel s'était assombri. Des éclairs illuminaient les nuages noirs et le tonnerre roulait au-dessus de la ville comme une salve de canon.

Billy Mack et Joe Alstyne attendaient dans le couloir du studio l'interview télévisée de Billy qui devait commencer dans quelques minutes.

— Et n'oublie pas que nous sommes un samedi matin et que c'est une émission pour les enfants, disait le manager à l'ancienne star de rock. Alors parle clairement afin que ces chers petits te comprennent, et tiens-toi bien. Imagine des gamins de six ans aux visages frais et roses.

— Mais oui, tu peux compter sur moi, assura Billy.

Un instant plus tard, on les invita à entrer dans le studio. Ant et Dec, les présentateurs en vogue, étaient assis devant leur pupitre bariolé sur lequel s'empilaient des CD qui devaient récompenser les gagnants d'un concours. Une voix annonça par haut-parleur que l'émission commençait.

— Alors, Billy, lança Dec, encore trois semaines jusqu'à Noël et il semblerait que Westlife te fasse une sérieuse concurrence.

— Oui, répondit Billy. Je les ai vus dans votre émission la semaine dernière. Ce qu'ils ont dit sur mon album n'était pas très gentil.

— Non, en effet, fit Ant, c'était vraiment bête de leur part.

— Ouais… reprit Billy, mais ce sont des musiciens très doués.

Joe, qui assistait à l'interview derrière le double vitrage du studio, sourit, enchanté de cette réponse diplomatique. Billy se conformait bien à ses instructions.

— Et vous avez apporté un cadeau, un prix pour le gagnant du concours, constata Dec.

— Oui, confirma Billy. C'est mon stylo-feutre personnel.

— Oh, génial ! se réjouit Ant.

— Ce stylo est vraiment cool, fit Billy. Il écrit même sur le verre. Alors si vous avez une photo encadrée, comme celle-ci, qui représente Westlife… dit-il en prenant la photographie sur la pile de prix, vous pouvez écrire quelque chose dessus avec ce feutre. Tenez, je vais vous montrer.

Avec un grand sourire, il écrivit en gros caractères en travers de la photo couleur du groupe rival : NOUS AVONS DE TOUTES PETITES BITES.

Dec se pencha pour lire la phrase et fit un bond.

— Des enfants nous regardent, Billy, et nous sommes en direct, dit-il à mi-voix sur un ton de reproche.

— Ah oui, c'est vrai ! fit Billy en éclatant de rire, puis il agita la main devant la caméra. Bonjour, les enfants ! Voici un message de l'oncle Bill : n'achetez pas de drogue. Devenez des stars de rock et on vous en offrira sur un plateau !

— Je crois que c'est le moment de faire une pause publicité ! s'exclama Ant. Ouf !

À l'autre bout du studio, Joe Alstyne se prit la tête entre les mains et, au dehors, un coup de tonnerre assourdissant retentit.

Dans la salle de conférence étaient réunis les huit hauts fonctionnaires et hommes d'État les plus importants du sommet : cinq Britanniques et trois Américains, parmi lesquels le Président des États-Unis et le Premier Ministre britannique. Des experts parlaient et David les écoutait avec attention. L'atmosphère était tendue.

— Non, c'est tout à fait exclu, disait l'un des experts américains. Nous ne pouvons pas nous permettre de vous consulter sur cette question et nous ne le ferons pas. Cela ne regarde que nous.

— Voilà qui est pour le moins inattendu, répliqua Alex Carter, consterné.

— Cela ne devrait pourtant pas l'être, intervint le Président. Nous avions été clairs avec le gouvernement précédent, et nous ne faisons que poursuivre la même politique.

— Néanmoins, avec tout le respect que je vous dois... protesta Carter, c'était une mauvaise décision. Nous avions espéré que cette rencontre permettrait d'améliorer la situation.

Le Premier Ministre approuvait visiblement Carter mais, comme il l'avait annoncé à ses ministres, il avait adopté un rôle de modérateur.

— Très bien, Alex, merci de votre intervention, dit-il, mais il est temps de passer à autre chose, qu'en pensez-vous ?

Plus tard, après la discussion, David Farley et Alex Carter déambulaient dans l'un des couloirs du ministère.

— Du calme, Alex, du calme, l'implorait David. Fais-moi confiance. Ce n'est pas le moment de leur chercher querelle.

La journée s'acheva sur une rencontre entre le Président et le Premier Ministre dans le bureau de ce dernier. Le Président se laissa choir dans un fauteuil.

— Eh bien… dit-il, heureux de pouvoir se détendre après une journée chargée, qui faut-il baiser ici pour avoir une chance de boire un verre ?

Le Premier Ministre eut un sourire aigre-doux.

— Je m'occupe du verre et vous n'aurez besoin de baiser personne pour l'obtenir, répondit-il.

Il appuya sur le bouton d'un interphone et commanda deux whiskys.

— *On the rocks*, ajouta le Président.

— Avec des glaçons, précisa David dans l'interphone, puis il se renversa dans son siège. Eh bien, c'était une journée intéressante, dit-il.

Le Président l'approuva d'un signe de tête.

— Je suis désolé d'avoir dû me montrer ferme tout à l'heure, déclara-t-il, mais ça n'aurait eu aucun sens de bluffer pour vous décevoir ensuite pendant quatre ans. J'ai des projets et je compte bien les réaliser.

— Bien sûr, fit David, mais c'était quand même faire preuve d'une intransigeance pour le moins inattendue. (Il se leva.) À propos, il y a une dernière question que j'aimerais aborder avec vous… un sujet qui me tient particulièrement à cœur. Si vous voulez bien m'accorder quelques instants…

— Je vous accorderai tout ce que vous voulez, déclara le Président, grand seigneur, à condition que vous ne me demandiez rien que je ne puisse vous accorder.

David adressa à son hôte un signe négligent qui signifiait : je reviens tout de suite, et il sortit. Dans le couloir, il croisa Nathalie qui apportait les deux whiskys. Il lui adressa l'un de ces sourires gênés et timides dont seul est capable un homme désespérément amoureux.

« Pitoyable », se tança-t-il dans un murmure. Il se conduisait comme un petit garçon désemparé. Pourquoi, Dieu du ciel, n'avait-il pas eu un bon mot en réserve ? Un de ces mots à la fois gentils et spirituels que l'on glisse en passant, qui vous valent un regard admiratif et laissent une impression durable. Mais non, il était comme un idiot de village au sourire niais.

Écartant cette pensée, il se rendit dans une pièce et prit un dossier sur une étagère. Le dossier sous le bras, il retourna à son bureau. Lorsqu'il entra, il eut l'impression d'être frappé par la foudre. Un coup de tonnerre retentit au-dessus des toits de Londres. On aurait dit qu'un bombardier américain venait de lâcher sa cargaison sur le 10, Downing Street.

Nathalie et le Président se tenaient plus près l'un de l'autre qu'il n'aurait convenu, et ce n'était pas tout. La main du Président était posée sur sa hanche. À la vue du Premier Ministre, elle rougit et s'écarta précipitamment de l'homme aux allures de star d'Hollywood.

Le Président ne s'émut pas de l'incident. Avec une nonchalance que rien ne semblait devoir troubler, il redressa sa cravate et reprit son verre. David avait l'impression qu'on venait de lui retirer le tapis de sous les pieds.

— Excellent, ce whisky, complimenta le Président après avoir reposé son verre.

Nathalie se passa une main mal assurée dans les cheveux.

— Eh bien, je m'en vais, fit-elle.

Tête basse, elle passa devant David.

— Ce fut un plaisir de faire votre connaissance, Nathalie ! lui lança le Président. À bientôt, j'espère, maintenant que nos deux pays travaillent ensemble à un avenir meilleur !

— Merci, monsieur le Président, répondit Nathalie en sortant.

— Eh bien, de quoi s'agit-il au juste ? demanda le Président à David sur un ton enjoué. Vous parliez d'une question qui vous tenait à cœur, je crois ?

— Oui, marmonna David, oui, tout à fait.

Il était incapable de discipliner ses pensées. D'habitude, il n'avait aucune difficulté à garder son sang-froid, y compris au milieu des débats les plus animés. À présent, pour la première fois de son existence, il était complètement désorienté. Ce qu'il venait de voir l'avait sérieusement ébranlé.

Tony habitait un petit appartement dont l'ameublement et le désordre correspondaient parfaitement aux clichés sur les célibataires.

On frappa à la porte. Lorsqu'il ouvrit, Colin se tenait devant lui, trempé jusqu'aux os et une énorme valise à la main.

— Salut, dit-il.

Tony le regarda, sidéré.

— Qu'est-ce que tu fais ici ? demanda-t-il.

— J'ai dû louer mon appartement pour payer le billet d'avion.

— Quoi, c'est vraiment sérieux, ce projet délirant ?

— Tout à fait sérieux, répondit Colin. Tu crois peut-être que cette valise contient des vêtements ? Pas du tout, elle est bourrée de préservatifs.

— Mais je n'ai qu'un lit, fit Tony, désemparé.

— Je sais, rétorqua Colin, mais c'est un lit double et, comme tu n'es qu'un pauvre type qui n'a pas eu de copine depuis dix ans, il y aura sûrement assez de place pour moi.

Sur ce, il monta l'escalier. Dans le salon, la télévision était allumée. On pouvait voir à l'écran le Président des États-Unis dont la visite au Royaume-Uni touchait à sa fin. La pizza que Tony n'avait pas encore entamée était posée sur la table. Colin s'assit et se servit au moment où Tony entrait dans la pièce.

— Du tonnerre, cette pizza, dit Colin en mastiquant. Regarde, ce tombeur de Président américain nous rend visite. À ton avis, combien de gonzesses il a carambolées ? Ça, mon vieux, c'est exactement le genre de B.A. que j'aimerais accomplir !

Des relations privilégiées

Au 10, Downing Street se déroulait la conférence de presse clôturant le sommet.

La foule des représentants des médias – équipes de cameramen, photographes et rédacteurs – occupait les trois quarts de la salle. Le Président et le Premier Ministre étaient assis à deux mètres d'intervalle dans des fauteuils en cuir, face aux journalistes. Le Premier Ministre avait l'air particulièrement sombre.

— Monsieur le Président, êtes-vous satisfait de cette rencontre ? lança un journaliste.

— Très satisfait, répondit le Président. Nous avons obtenu ce que nous étions venus chercher et les relations entre nos deux pays demeurent privilégiées.

— Qu'en pensez-vous, monsieur le Premier Ministre ? reprit le même journaliste.

David Farley ne répondit pas immédiatement. Il s'ensuivit une pause, qui parut trop longue. Les regards fixés sur lui étaient à présent déconcertés et inquiets.

— J'adore ce mot de « relations », dit soudain David. C'est un mot qui recouvre tous les péchés, n'est-ce pas ? Lorsque j'ai accueilli le Président des États-Unis, je savais très bien que notre pays et le sien n'étaient pas précisément sur un pied d'égalité, mais je ne m'attendais pas à un tel manquement au principe de réciprocité. Je crains que les relations entre nos deux pays ne se soient sérieusement dégradées. Aujourd'hui, le Président des États-Unis nous impose sa volonté en ignorant soigneusement tout ce qui compte pour… la Grande-Bretagne. Nous sommes peut-être un petit pays, mais nous sommes un pays extraordinaire. Et un ami qui nous commande ne saurait être notre ami. Et comme ceux qui commandent ne comprennent que la force, j'ai décidé à partir de maintenant de me montrer moins amical. Le Président des États-Unis devra en tenir compte.

Pendant plusieurs secondes régna un silence durant lequel une épingle tombant à terre aurait fait autant de bruit qu'un coup de feu, puis un tumulte éclata. Les flashs crépitèrent comme une salve de rayons laser, les projecteurs illuminèrent brutalement la pièce et les caméras se mirent à ronronner. Les journalistes criaient plus fort les uns que les autres afin d'attirer l'attention du Président des États-Unis. Derrière les deux chefs d'État, les membres du gouvernement britannique – et en particulier Alex Carter – jubilaient. En revanche, les représentants du gouvernement américain faisaient des têtes d'enterrement.

— Monsieur le Président ! Monsieur le Président ! hurlaient les journalistes, et celui qui criait le plus fort réussit à articuler intelligiblement : Que pensez-vous de cette déclaration ?

Le silence retomba tandis que le Président ouvrait la bouche pour répondre. Son visage était glacé.

— Eh bien… dit-il, c'est à n'en pas douter un défi que le Premier Ministre vient de me lancer. Oui, à n'en pas douter… et c'est faire preuve d'une intransigeance pour le moins inattendue.

Le Premier Ministre fixa le Président droit dans les yeux. Dans le regard que ce dernier lui rendit, la colère se mêlait à un respect nouveau. Soudain, David sentit se poser sur lui un autre regard, différent de tous les autres. Il leva les yeux et aperçut Nathalie. Il ne voyait plus qu'elle. Pourtant, elle baissait la tête.

Dès la fin de la conférence de presse, une foule joyeuse se précipita dans le bureau de David pour le féliciter. Les gens ne cessaient de lui répéter combien ils étaient fiers de lui.

La secrétaire de David se fraya un chemin à travers la foule.

— Votre sœur est en ligne, lui dit-elle lorsqu'elle parvint enfin à s'approcher de lui.

David prit la communication.

— Salut, sœurette, dit-il.

— Tu es devenu fou, s'exclama Karen, exaspérée.

— On ne peut pas toujours se montrer raisonnable, répondit David.

— Si, on peut, quand on est Premier Ministre.

— Excuse-moi, le chancelier de l'Échiquier m'appelle sur l'autre ligne. Je te rappelle.

— Non, pas question !

Karen raccrocha et respira profondément pour retrouver son sang-froid. Elle était dans son salon. Harry était assis à sa place habituelle, où il était impossible de ne pas l'imaginer. Insidieusement, une question s'imposa à l'esprit de Karen : quelle différence cela ferait-il s'il n'y était pas ? Elle repoussa cette question. Elle mit en marche le lecteur de CD et une musique douce aux accents de jazz s'éleva tandis qu'elle se dirigeait vers la table où étaient posés les cadeaux de Noël qu'elle n'avait pas encore emballés.

— Quand on est la sœur du Premier Ministre, on se retrouve dans une curieuse situation, dit-elle. Qu'a fait mon frère aujourd'hui ? Il a tenu tête au Président des États-Unis. Et moi, qu'est-ce que j'ai fait ? J'ai fabriqué une tête de homard en papier mâché.

— Qu'est-ce que c'est que cette musique ? demanda Harry.

— Joni Mitchell.

Il secoua la tête d'un air dégoûté.

— Ça alors, je n'arrive pas à y croire : tu écoutes encore Joni Mitchell !

— Est-ce que tu sais seulement de quoi tu parles ? répliqua Karen avec un accent indigné. J'aime Joni Mitchell et quand on aime vraiment, c'est pour la vie. Joni Mitchell est la chanteuse qui a appris à ta froide épouse anglaise ce que sont les sentiments. À ton avis, laquelle de ces deux poupées vaut-il mieux offrir à Daisy : celle qui ressemble à un travesti ou celle qui ressemble à une prostituée ?

Harry sourit lorsqu'elle lui montra les deux poupées. À l'instant même, Daisy accourut en hurlant.

— Maman ! Bernie m'a tapée !

— Oh mon Dieu ! gémit Karen en regardant Harry. Maintenant, à toi de t'occuper de Bernie. Moi, j'y renonce. Tout bien réfléchi, j'ai l'impression que mon frère a choisi la bonne voie.

Lorsqu'il se retira dans sa chambre à coucher, David se sentait d'humeur joyeuse. Il avait beau avoir une journée difficile derrière lui et être mort de fatigue, si un vieux copain était venu lui demander : « Alors, on se fait une petite virée ? », il aurait accepté avec joie.

Toutefois, il aurait probablement été obligé de porter un masque, un de ces trucs en latex qui font plus vrai que nature. L'ennui, c'est que ces masques représentaient généralement des hommes célèbres. Lequel aurait-il choisi ? Celui du Président américain ? David gloussa avec exubérance en se déshabillant. Non, plutôt Frankenstein. Ou George Clooney, peut-être.

Foutaises ! lui dit une voix intérieure. Les Premiers Ministres n'ont pas de copains avec qui faire la tournée des bars. Et crois-tu que le chancelier de l'Échiquier irait en boîte avec toi ? Non, sûrement pas, il préférerait une soirée à l'opéra.

David se glissa dans son pyjama et mit le lecteur de CD en marche. Il choisit un tube des années quatre-vingt au rythme endiablé et se mit à danser sur la descente de lit. Il avait l'air très dans le vent tandis qu'il se démenait en rythme et, à sa vue, environ soixante-cinq pour cent de son personnel aurait froncé les sourcils d'un air désapprobateur. Les trente-cinq pour cent restants auraient peut-être compris que cette danse frénétique était avant tout l'expression de son triomphe.

Épuisé, il se laissa enfin choir sur son lit.

Oui, ç'avait été une journée difficile, mais une sacrée bonne journée.

Jamie prenait son petit déjeuner dans la confortable cuisine de son mas provençal. L'arôme incomparable du café fraîchement moulu mêlé à celui des viennoiseries croustillantes flottait dans l'air. Jamie portait une robe de chambre noire qui ressemblait à un antique caftan.

Lorsque Aurélia entra dans la pièce, son visage s'éclaira et il lui tendit la corbeille remplie de croissants dorés.

— Oh non, merci, répondit-elle en portugais. Si seulement vous voyiez mes sœurs, vous comprendriez pourquoi !

Elle avait pris l'habitude de lui parler dans sa langue maternelle depuis qu'elle avait remarqué qu'il semblait la comprendre, en partie du moins.

— Non ? insista-t-il en la regardant d'un air interrogateur.

Aurélia hocha la tête. Elle prit la tasse de café posée sur une liasse de papiers et la déposa dans l'évier pour la laver.

— Vraiment ? demanda-t-il étonné. Vous n'en voulez pas ?

Elle secoua la tête. Il haussa les épaules.

— Bon. Oui, non, oui, très bien. Moi, j'en reprends un, dit-il.

— Vous devriez faire attention, vous aussi, fit Aurélia, toujours en portugais. Vous vous arrondissez de jour en jour.

— J'ai le bonheur d'avoir le genre de constitution qui permet de manger sans prendre de poids, expliqua-t-il.

Elle le regarda et sourit. Lorsque leurs regards se rencontrèrent, ils comprirent qu'une véritable amitié se nouait entre eux.

Un téléphone sonna quelque part dans la maison. C'était le téléphone portable de Jamie. Il tapota la poche de sa robe de chambre, mais l'appareil n'y était pas. Il se leva d'un bond, chercha sur la table de la cuisine, mais il n'était pas là non plus. Aurélia se mit à rire, il rit avec elle et ils partirent ensemble à la recherche du téléphone. Ils le retrouvèrent finalement au salon, dans un repli du canapé.

— Allô, fit Jamie, légèrement essoufflé.

— Allô, Jamie, dit Mia.

— Oh, bonjour, répondit-il sans entrain. Comment vas-tu ?

Bien. Je me disais que j'allais t'appeler, pour savoir comment tu allais et où tu en étais dans ton travail d'écriture.

— Ça va, ça va même très bien. Et toi, où en es-tu dans tes coucheries avec mon frère ? (Il attendit une réponse, qui ne vint pas.) Bon, grommela-t-il enfin, comme prévu, sans doute.

— Je pensais qu'à l'approche de Noël, nous pourrions peut-être prendre un verre ensemble, reprit Mia.

— Ou peut-être pas, répondit-il sèchement.

— Comme tu voudras, fit Mia. Mieux vaut s'abstenir, dans ce cas. Oh, excuse-moi, mais je dois te quitter.

Elle raccrocha. Jamie se sentit soudain misérable. Le souvenir de ce qui était arrivé pesait sur lui comme un fardeau énorme. Au bout d'un moment, il remarqua qu'Aurélia le regardait. Elle souriait si doucement et avec tant de compréhension qu'il éprouva une sensation de chaleur et de sécurité. Elle se détourna et reprit son travail. Il retourna à la cuisine, termina son croissant et se versa une nouvelle tasse de café noir bien fort.

À Fairtrade régnait l'habituelle activité débordante. Les téléphones sonnaient sur des airs de pop, de jazz et de classique, les claviers d'ordinateurs cliquetaient doucement, la radio de Mia jouait en sourdine et tous ces bruits se fondaient dans la rumeur des conversations. Assise derrière son bureau, Mia observait son chef qui était allé voir Sarah ; il se tenait à côté d'elle et contemplait la photographie du jeune homme posée sur son bureau.

— Alors ? demandait-il. Avez-vous fait des progrès dans votre tentative de rapprochement ?

— Non, répondit Sarah. Je n'ai strictement rien fait et je ne ferai rien. C'est tout simplement un trop gros morceau pour moi.

— Ne vous laissez pas abattre, la consola Harry. Nous, au moins, nous pouvons nous offrir le luxe de tourments amoureux, contrairement aux habitants des pays du tiers-monde pour lesquels nous travaillons, dit-il en désignant une affiche sur le mur derrière elle.

Elle représentait un Africain au milieu de son champ. Tout ce qu'il avait semé était détruit. Sarah suivit le regard de Harry et comprit sa pensée.

— Oui, bien sûr, répondit-elle à voix basse.

Au même moment, son téléphone portable sonna.

— Évidemment, dit Harry en secouant la tête, ça m'aurait étonné.

Il s'éloigna et se dirigea vers le bureau de Mia.

— Bon, ça avance, ces préparatifs pour la fête de Noël ? lui demanda-t-il.

— Ça avance, dit-elle. Je crois que j'ai trouvé le local qui convient : c'est le lieu de travail d'un ami.

— Et c'est comment ?

— Idéal. Plein de coins sombres pour commettre les actions les plus noires, dit-elle avec un regard chargé de sous-entendus.

— Merveilleux, répliqua-t-il, j'aimerais bien voir ça de plus près.

David avait convoqué sa conseillère par téléphone. Quelques minutes plus tard, on frappa à la porte de son bureau et Annie Talbot entra.

— Annie, mon trésor ! s'exclama David, réjoui. Il faut absolument que vous me rendiez un service !

— Tout ce que vous voudrez, répondit-elle en s'approchant de son bureau, rien n'est trop beau pour le héros du jour.

— Ne me demandez pas pourquoi, fit-il. Et n'en tirez pas de conclusions hâtives, pour l'amour du Ciel. C'est un peu biscornu... une affaire personnelle. Vous connaissez Nathalie, la jeune femme qui travaille pour nous ?

Annie acquiesça.

— La petite boule ? dit-elle.

David leva les sourcils, surpris.

— C'est ainsi que vous l'appelez ?

— Mon Dieu, oui. Elle a un popotin de proportion respectable et un tour de cuisses imposant.

L'espace d'un instant, David parut déconcerté.

— Enfin, quoi qu'il en soit, dit-il, je suis sûr que c'est une brave fille, mais je me demande si vous ne pourriez pas lui trouver un autre emploi dans la maison.

— C'est comme si c'était déjà fait, répliqua Annie.

David sourit poliment et prit congé de sa conseillère avec gratitude. Il tentait de se persuader qu'il avait agi pour le mieux. Il avait été très déçu par Nathalie. Lorsqu'il l'avait surprise avec le Président des États-Unis, quelque chose s'était brisé en lui. À présent, il la voyait d'un œil différent, beaucoup moins romantique. Et la faute en revenait à elle seule. Il ne devait donc pas regretter de l'avoir bannie de son entourage. Après tout, il fallait qu'il se concentre sur son travail. L'incident avec le Président des États-Unis avait montré combien il était sous pression.

Le fait que ses compagnons de route le saluent en héros le confortait dans l'idée que son attitude n'avait pas été dictée par des sentiments personnels. Cela n'avait aucun rapport avec le fait qu'il ait surpris le tombeur d'outre-Atlantique avec Nathalie. Non, absolument aucun rapport. Plus il se le répétait, plus il en était convaincu.

Tandis que la nuit tombait, David se plongea dans son travail, passant d'un dossier à un autre. Lorsqu'on frappa à la porte de son bureau, il eut un sursaut.

— Entrez ! lança-t-il.

La porte s'ouvrit lentement. Un plateau chargé d'une tasse de thé et d'une assiette de biscuits apparut d'abord, puis la jeune employée qui le portait. Ce n'était pas Nathalie. David regarda la jeune femme et lui fit signe d'entrer. Il se maudissait intérieurement de se sentir déçu et d'éprouver un regret lancinant.

Il appuya sur la touche de l'interphone.

— S'il vous plaît, Mary, envoyez-moi Peter, dit-il. Priez également le chancelier de l'Échiquier de venir me voir. Il faudrait qu'il m'explique pourquoi il dépense autant.

Le jardin entourant le mas provençal était grand et un peu à l'abandon. Il y avait même un étang avec une petite cascade qui se jetait dans un second étang, un peu en contrebas. Le tout donnait l'impression d'un parc auquel auraient manqué depuis plusieurs années les soins méthodiques d'un jardinier.

Comme c'était une journée ensoleillée d'une douceur surprenante pour la saison, Jamie avait décidé de travailler en plein air. Le cliquetis de sa machine à écrire troublait le silence environnant. Jamie était vêtu d'un gros pull-over. Sur la table qu'il avait installée dans le jardin, la machine à écrire trônait entre deux piles de feuilles. À gauche, les pages encore vierges étaient calées avec une assiette ; à droite, celles du manuscrit s'empilaient sous la tasse de café qu'il avait entre-temps vidée.

Lorsque Aurélia sortit dans le jardin afin de voir si elle pouvait se rendre utile, la tasse attira immédiatement son regard. Elle devait sans aucun doute être nettoyée. Aurélia s'approcha de la table, s'en saisit et voulut en faire autant avec l'assiette.

— Merci, fit Jamie.

À l'instant même, une bourrasque souleva le manuscrit. Les feuilles s'envolèrent en décrivant un tourbillon. Elles dérivèrent dans l'air comme de gros flocons rectangulaires puis se dirigèrent inexorablement vers l'étang.

— Oh, mon Dieu ! s'écria Aurélia. Oh, mon Dieu, je suis désolée !

Lâchant la tasse, elle se lança à la poursuite des feuilles.

Jamie avait bondi de sa chaise.

— Oh non ! se lamenta-t-il en mesurant l'étendue des dégâts.

Comme Aurélia était vive et adroite, elle parvint à en récupérer quelques-unes, mais la majeure partie d'entre elles atterrirent dans l'étang, où elles commencèrent à s'imprégner d'eau. Sur la berge,

Aurélia hésita un instant, puis, d'un geste décidé, elle fit passer sa robe démodée par-dessus sa tête. Elle ne portait en dessous qu'une culotte et un soutien-gorge. Jamie resta figé sur place. Fasciné, il contemplait le corps incroyablement beau d'Aurélia. Il n'avait encore jamais pris conscience de sa perfection, probablement à cause de cette vilaine robe.

— Non ! s'exclama-t-il, ne f-f-faites pas ça ! Ça n'en vaut vraiment pas la peine ! Ce sont juste des gribouillages !

— J'espère que ça en vaut la peine, répliqua Aurélia dans sa langue natale.

Jamie tenta encore de la dissuader.

— Ce n'est qu'un ramassis de foutaises ! Je vous en prie...

Mais Aurélia, exécutant un beau plongeon, s'était déjà jetée à l'eau. Horrifié, il porta la main à sa bouche.

— Mon Dieu ! Elle a plongé ! Elle a plongé ! dit-il en se précipitant vers elle.

Aurélia refit surface en crachotant.

— Bon Dieu, qu'est-ce que c'est froid ! haleta-t-elle.

Jamie était arrivé au bord de l'étang.

— Bonté divine, gémit-il, si je ne saute pas tout de suite, elle va me prendre pour un fameux crétin !

Il n'hésita qu'une seconde avant d'arracher son pull-over, de faire tomber son pantalon et de se jeter à l'eau.

— Bon Dieu, c'est glacé, s'écria-t-il en remontant à la surface.

Puis, imitant Aurélia, il commença à rassembler les feuilles qui dérivaient.

— J'espère vraiment que c'est un bon bouquin, s'exclama Aurélia. Je ne voudrais pas mourir d'une pneumonie pour sauver un roman de gare que ma grand-mère aurait pu écrire !

— Ce n'est pas sérieux ! haletait Jamie en se démenant. Ça n'en vaut vraiment pas la peine ! Bon sang, ce n'est pas du Shakespeare ! Ça suffit, maintenant ! Oh mon Dieu, qu'est-ce que c'est ? demanda-t-il avec dégoût.

En s'approchant de la rive, il avait plongé la main dans de la vase noirâtre.

Aurélia se laissa enfin convaincre de mettre un terme à la chasse au manuscrit. Il l'aida à sortir de l'eau et ils coururent se réfugier dans la maison avec leur chargement de feuilles détrempées. Aurélia revêtit la robe de chambre noire que Jamie lui proposait, lui-même se contentant d'une serviette. Ils se réchauffèrent devant le fourneau de la cuisine.

— Je suis vraiment désolé, fit Jamie.

— Je suis vraiment désolée, dit Aurélia en portugais.

— Merci, reprit Jamie.

— Ce n'est rien. (Aurélia sourit.) Peut-être pourriez-vous donner mon nom à l'un des personnages…

— Je donnerai votre nom à l'un des personnages, déclara Jamie en claquant des dents.

— Ou alors, vous me verserez cinquante pour cent des droits d'auteur, proposa Aurélia.

— Ou bien je pourrais vous reverser cinq pour cent des droits d'auteur, fit Jamie.

— Qu'est-ce que c'est, comme genre de livre ? Genre… sorte ? demanda Aurélia en montrant les feuilles ruisselantes qu'elle avait mises à sécher sur l'égouttoir.

Puis, avec une mimique expressive, elle feignit la joie, la tristesse et posa la main sur son cœur.

— Ah, je vois, dit Jamie, et il fit semblant de brandir un couteau et de s'en transpercer.

— Ah, oui, un thriller, conclut Aurélia. Une enquête criminelle.

Jamie acquiesça.

— Oui. *Si*. Une enquête criminelle. Assassinat.

— Très effrayant? demanda Aurélia en prenant un air terrorisé.

Jamie fit un geste incertain.

— Parfois effrayant, parfois ah, ah, ah, très drôle ! Le tout très mal écrit, alors p-p-pas si effrayant que ça.

Un ange passa. Tous deux cherchaient vainement quelque chose à dire. Aurélia les tira de cette situation embarrassante.

— J'ai encore du travail, dit-elle, et elle traduisit ses paroles en mimant le geste de frotter le plancher. Et plus tard, vous me ramènerez à la maison, ajouta-t-elle.

Elle désigna sa montre, tapota le chiffre 6 et saisit le volant d'une voiture imaginaire qu'elle fit tourner vers la droite, puis vers la gauche.

— Oui, bien sûr ! s'exclama Jamie. Pour moi, le meilleur moment de la journée, c'est quand je peux vous raccompagner.

— Le moment le plus triste de la journée, c'est quand je dois me séparer de vous, dit-elle.

Le temps passa à la vitesse de l'éclair. Lorsqu'ils montèrent en voiture, Jamie eut l'impression que quelques minutes à peine s'étaient écoulées depuis leur bain dans l'étang. En chemin, il l'observa. Ses cheveux étaient encore mouillés. Il commençait à comprendre ce qui lui arrivait. À chaque heure qu'elle passait chez lui, il découvrait un peu mieux sa beauté. Et ce n'était pas seulement une beauté d'ordre extérieur, il le savait, bien qu'il ne comprît même pas sa langue.

Soudain, elle tourna la tête vers lui comme si elle avait senti son regard sur elle. Il se hâta de détourner les yeux et fixa le pare-brise.

CABRIOLES DE NOËL s'étalait en lettres gigantesques sur les banderoles accrochées au-dessus de l'entrée de la galerie et aux fenêtres qui donnaient sur la rue. La lumière était allumée dans chacune des pièces, y compris la minuscule cuisine, le bureau et les toilettes.

Harry Trevor et Mia Jermyn étaient venus inspecter les lieux où devait se dérouler la soirée de Noël de Fairtrade. Ils s'entretenaient avec Mark Doherty, visiblement nerveux.

— Je suis vraiment désolé pour les photos, dit-il.

— Mais non, elles sont très intéressantes, répondit Harry. De toute façon, ce n'est qu'une fête d'entreprise. (Ils s'arrêtèrent devant une photo grand format.) Quel est le titre de cette photo ?

— *Vagin*, je crois, répondit Mark avec une expression douloureuse.

— Et celle-là ? demanda Harry en montrant la photo d'à côté.

— *Vagin II*, expliqua Mark d'un air compétent. Comme pour *Deuxième vagin* et *Autre vagin*, c'est un vagin qui est représenté.

Karen, qui était restée jusqu'ici à l'autre bout de la galerie, s'approcha d'eux.

— Vraiment, dit-elle avec enthousiasme, ces locaux sont parfaits pour une soirée. J'aime surtout les *Quatre têtes*, ajouta-t-elle en montrant une photo qui représentait quatre pénis noirs. Dieu du ciel, s'exclama-t-elle après avoir jeté un coup d'œil à sa montre, j'ai rendez-vous avec cette épouvantable directrice d'école ! Bernie s'est encore attiré des ennuis.

— Oh non, encore ! se lamenta Harry.

— Écoutez un bon conseil, Mia, dit Karen à la collègue de son mari. Ne vous mariez jamais. Vous arrêterez de travailler, vous enlaidirez et vous investirez tout votre amour et toute votre énergie vitale dans des enfants qui se révéleront être de parfaits petits salauds. Enfin, les garçons, en tout cas, ajouta-t-elle après un temps de réflexion. Ravie d'avoir fait votre connaissance, conclut-elle avec un sourire.

Elle embrassa Harry et prit congé de lui avec un « à plus tard ».

En sortant, elle croisa Peter Murray, qui rentrait de sa lune de miel. Mark frappa dans ses mains avec un air ravi.

— Ohé, Pedro ! C'est chouette de te revoir ! (Ils se donnèrent l'accolade.) Comment ça va, fils de pute ?

— À merveille, répondit Peter. C'est un véritable soulagement d'être de retour. Ces relations sexuelles en continu vous épuisent un homme. (Il salua d'un signe de tête Harry et sa collègue.) Salut, Mia ! Toujours la beauté fatale !

Mia sourit, flattée.

C'est alors seulement que Peter remarqua les photos.

— Doux Jésus ! s'exclama-t-il. Qu'est-ce que c'est ?

L'œuvre sur laquelle était rivé son regard montrait un pénis de dimension gigantesque.

— C'est une photo retouchée à l'aide d'un programme informatique de traitement de l'image, expliqua Mark. Du moins, je l'espère – nous l'espérons tous.

Au même moment, Karen garait sa voiture sur le parking de l'école et se précipitait à l'intérieur du bâtiment. Dans la salle réservée aux rencontres avec les parents d'élèves, Mme Monroe, la directrice, une femme d'âge mûr dont la mine sévère inspirait le respect, l'attendait déjà en compagnie du professeur et de Bernie. Ce dernier regardait droit devant lui, de son habituel air maussade. Karen le foudroya du regard avant de s'asseoir.

La directrice prit la parole comme si elle présidait une audience dans un tribunal.

— Bernie devait, dans le cadre de son cours d'éducation religieuse, écrire une rédaction sur ce qu'il souhaitait pour Noël, dit-elle.

— Oui, en effet, confirma Karen.

— Un beau sujet, en somme, poursuivit Mme Monroe, mais apparemment, pas de l'avis de Bernie. Monsieur Trench, dit-elle, passant la parole au professeur.

Ce dernier s'éclaircit la gorge.

— Nous avons eu quelques excellentes rédactions, fit-il. Beaucoup avaient trait à un monde où tous vivraient en paix.

— Excellent, commenta Karen.

— Il y avait aussi le devoir très touchant d'un jeune garçon qui souhaitait que sa sœur gravement malade puisse guérir, ne fût-ce que pour un jour, celui de Noël.

— J'espère que ce sera le cas, dit doucement Karen.

— J'aimerais à présent que vous lisiez le devoir que votre fils a rendu, déclara la directrice.

— Très bien, fit Karen, mais elle leva les sourcils, surprise, lorsque M. Trench lui tendit un cahier. Vous voulez dire : tout de suite ? demanda-t-elle.

— Oui, répondit Mme Monroe. Je suis désolée, madame Trevor, mais je voudrais que votre fils soit confronté à ce qu'il a fait en présence de nous tous.

— Très bien, acquiesça Karen, qui commença à lire.

« Je me suis longtemps demandé ce que je pourrais souhaiter pour Noel. Et, après avoir bien réfléchi... »

Karen leva les yeux, regarda son fils et lui dit d'un air de reproche :

— Tu as fait une faute en écrivant « Noël » : tu as oublié le tréma sur le « e ».

— Désolé, marmonna Bernie.

Karen secoua la tête, déçue, et reprit sa lecture.

« ... après avoir bien réfléchi, j'ai trouvé : j'aimerais que ce jour-là, on puisse voir les pets des gens. »

Lorsque Karen releva la tête, l'air effaré, toutes les personnes présentes pouvaient deviner ce qu'elle venait de lire. La gravité de la situation était comme suspendue dans l'air. Karen reprit sa lecture.

« Que pourrait-on imaginer de plus amusant ? »

Karen se représenta les scènes que son fils décrivait. Elle entendait également sa voix, bien qu'à cet instant il restât muet, tête basse et plus maussade que jamais.

Dans l'une de ces scènes, toute la famille était rassemblée pour le repas du réveillon.

« À la fin d'un copieux repas, racontait Bernie, grand-mère en lâche un et, pour une fois, elle ne peut pas accuser le chien. » Derrière le dos de la grand-mère montait une petite bulle bleue. « Pour la première fois, on est content d'aller à la messe de minuit », poursuivait Bernie. L'imagination de Karen lui dépeignit une pimpante petite église de campagne où se pressaient les fidèles, et une myriade de bulles montant comme une mousse bleue vers les vitraux et les voûtes gothiques de la nef. Contre toute attente, c'étaient les gens les plus petits qui lâchaient les pets les plus énormes, tandis que les plus grands ne produisaient que de petites bulles. Un nuage bleu de taille imposante planait au-dessus de la chorale.

« Et voici maintenant le moment que nous avons attendu toute notre vie, poursuivait Bernie. À Buckingham Palace, la reine fait son discours de Noël au milieu d'un essaim de bulles bleues : "Naturellement, nous ne devons pas oublier le sens de cette tradition, ni l'importance de la famille…" »

Ensuite, la reine s'avançait à cheval lors d'une parade et un gros nuage bleu s'échappait de l'arrière-train du cheval. Plus tard, la reine et ses fils faisaient une promenade à Saint James Park en laissant derrière eux un sillage de bulles bleues.

Karen secoua la tête avec incrédulité.

— Eh bien… commença-t-elle, c'est vraiment décevant. Je suis extrêmement gênée et honteuse. Cela vous dérangerait-il que je sorte un instant avec Bernie pour lui dire deux mots ?

La directrice et le professeur n'y voyaient aucune objection.

— Désolé, maman, dit Bernie lorsqu'ils furent seuls dans le couloir.

— Moi aussi, je suis désolée, Bernie, répondit-elle. Je suis désolée, j'ai honte et je regrette vraiment de t'avoir envoyé dans une école d'abrutis incapables d'apprécier un bon gag.

— Quoi ? s'exclama Bernie, stupéfait, en contemplant sa mère d'un air incrédule.

— Tu as bien entendu, reprit Karen. Tu as écrit là une excellente comédie, de très haut niveau. Tu es mon fils, et il ne fait pas le moindre doute que je t'aime, mais pour cette histoire, je t'adore, tout simplement. Tu sais, je me demande si on ne pourrait pas réaliser ce gag : en vaporisant un gaz invisible réagissant aux pets, ça pourrait marcher.

— Tu crois ? demanda Bernie, qui n'était pas encore revenu de sa surprise.

— J'en suis même certaine, grommela Karen.

Dans la grande salle de réunion de la maison de production, Billy Mack était assis sur une chaise pendant que Joe Alstyne allait et venait nerveusement.

— Tu crois ? demanda Billy avec étonnement.

— J'en suis même certain, grommela Joe. Si cette boutique veut bien investir encore un peu de pognon, on peut devenir numéro un. Tout ce qui te reste à faire, c'est de leur passer un peu de pommade... en leur faisant comprendre que tu fais partie du club.

— C'est ça ! Cool ! fit Bill avec un sourire sarcastique. Je serai gentil tout plein avec les porteurs de slips.

— Je parle sérieusement, Bill, répliqua son manager. Tu es un génie. Je le sais. Tu le sais aussi. Mais nous savons également que le marché est saturé de petits merdeux qui se prennent beaucoup trop au sérieux. Et nous avons parfois besoin d'avoir ces petits merdeux de notre côté.

— Absolument, approuva Billy. Sages paroles. Profondes vérités.

— Alors c'est parti ! lança Joe en montrant une porte qui s'ouvrait au même instant.

Trois managers à l'allure très dans le vent entrèrent dans la pièce – deux hommes mûrs et une femme plus jeune.

— Salut, Dave, Alan, Gina ! s'écria Joe comme saisi d'un enthousiasme hystérique. Waoh ! C'est vraiment super de vous rencontrer ! Moi, c'est Joe, et voici... (Il désigna son associé d'un geste de la main.)... bon, nous savons tous qui c'est ! Billy Mack !

— Salut, Dave, Alan, Gina, fit Billy à l'adresse des trois autres. Quel âge as-tu, Gina ? Douze ans ? Treize, peut-être ?

— J'ai vingt-quatre ans, répondit Gina. Et toi ?

— Quatre-vingt-quatorze, répliqua Billy avec un large sourire. Tu as déjà taillé une pipe à un croulant ?

Gina blêmit, ouvrit la bouche, mais aucun son n'en sortit. Ses collègues étaient partagés entre l'envie de rire et la fureur rentrée.

Joe rit bruyamment afin de dissiper la gêne qui s'ensuivit.

— Bon, annonça-t-il d'une voix retentissante, je crois que nous savons tous pourquoi nous sommes ici. Le CD marche du feu de Dieu et le vidéoclip fait un tabac, mais nous devons faire en sorte que « *Christmas is all around* » ait cent pour cent de chances d'arriver en tête du hit-parade.

— Absolument, appuya Billy. Continuez sur cette voie. Et maintenant, espèces de petits connards, j'aimerais bien savoir lequel d'entre vous est allé raconter qu'il m'éjecterait du label si ma chanson faisait un bide.

Devant le mas, Jamie chargeait dans sa voiture ses valises et une quantité astronomique de cadeaux typiquement français – essentiellement du vin et différentes sortes de fromages. Aurélia l'aidait dans cette tâche.

— Noël, lui expliqua-t-il. *Natale. Grando familio.*

Elle s'efforça de sourire, mais la perspective de son départ l'assombrissait. Lors de leur habituel trajet de retour dans la vallée, Jamie ne remarqua pas la tristesse d'Aurélia, car le voyage se déroula comme toujours dans un silence complet. Lorsqu'il la déposa aux abords de la ville, il la rappela alors qu'elle s'éloignait. Elle se pencha vers lui et il lui tendit la main.

— Je vous remercie, lui dit-elle en portugais. Vous allez me manquer – vous, la lenteur insupportable avec laquelle vous tapez à la machine et votre façon désastreuse de conduire.

Il sourit et haussa les épaules, car il n'avait rien compris. Alors elle se pencha un peu plus et l'embrassa doucement sur la joue.

Tout en la regardant s'éloigner et tourner au coin d'une rue, il éprouvait une étrange sensation d'apesanteur. Il repartit, puis il s'arrêta de nouveau et réfléchit un instant. Finalement, il redémarra, toujours ahuri et troublé.

À l'angle d'une rue, une auto fonça droit sur lui avec un coup de klaxon indigné. Il se rendit compte qu'il conduisait à gauche. En donnant un coup de volant, il réussit à s'en tirer vivant à la toute dernière seconde.

Vœux de Noël

À la nuit tombante, les rues de Londres étaient remplies de lumières. Les phares des voitures illuminaient les parties des trottoirs qui n'étaient pas éclairées par les réverbères. Les vitrines de magasins ornées d'étoiles et de cloches scintillantes créaient encore d'autres effets de lumière. Les fenêtres des appartements et celles de la galerie de Mark répandaient une chaude lueur dorée qui laissait pressentir le confort des intérieurs.

Parmi la foule qui traversait le passage clouté et se hâtait sur le trottoir, on pouvait voir la directrice de l'école de Bernie. Cependant, la femme vêtue de couleurs sombres ne remarqua pas la galerie où la soirée de Fairtrade avait commencé.

À l'intérieur régnait une douce chaleur. Des haut-parleurs diffusaient des versions instrumentales de chants de Noël et les pièces résonnaient de voix joyeuses et de rires.

Karl était entouré d'un cercle de jolies femmes tandis que Sarah se tenait à l'écart, seule, sans être pour autant moins attirante que ses collègues. La tenue de Mia était la plus sexy de la soirée : elle portait une robe rouge moulante qui, selon l'expression consacrée, épousait les contours de son corps comme une seconde peau, et des chaussures à talons hauts assorties. Elle s'entretenait avec une collègue, l'air indifférent et absent, tandis que Harry était plongé dans une conversation avec Karen et un ami.

— Bon, je crois que je vais aller remplir mes obligations mondaines, décida Karen.

— Tu es une sainte, lui dit Harry, admiratif.

Sur ce, il reprit sa conversation avec son ami tout en échangeant un regard avec Mia.

Quelques secondes plus tard, elle posait la main sur son épaule.

— Aurai-je une chance de danser une seule fois avec mon supérieur ? demanda-t-elle.

— Mais bien sûr, répondit Harry en lui rendant son regard et son sourire. Du moment que votre fiancé n'y voit pas d'objection.

— Mon petit ami, non ! répliqua-t-elle, espiègle.

— Alors, allons-y, fit Harry avec entrain.

D'un signe de tête, il prit congé de son ami et il se dirigea vers la piste de danse, Mia à son bras. En s'approchant de la foule des danseurs, ils passèrent devant Mark qui bavardait avec un retraité de Fairtrade.

— J'aime vraiment bien celle-là, disait l'homme aux cheveux gris en montrant une photo qui représentait une centaine d'êtres humains sans têtes. Quel en est le titre ?

— Je crois que c'est *Le Chœur du tabernacle des mormons*, répondit obligeamment Mark.

Non loin d'eux, Karen semblait avoir une conversation passionnante avec un couple à l'air exceptionnellement ennuyeux.

— Vous êtes vraiment ensorcelante, ce soir, dit Harry à sa danseuse.

— Pour vous, répondit Mia avec un regard brûlant.

— Pardon ? demanda Harry.

— Rien que pour vous, monsieur, dit-elle d'une voix douce et enjôleuse.

Il en resta stupide. C'est sans doute pour cette raison que Mia et lui dansèrent serrés l'un contre l'autre jusqu'à la fin du morceau, bien qu'il n'en fût pas tout à fait certain.

Dans une autre pièce, deux autres corps enlacés remuaient près d'une porte dérobée. C'étaient un homme et une femme. La femme était nue et l'homme habillé. Lorsque le cameraman s'approcha d'eux, la femme éternua.

— C'est bon, arrêtez ! lança Tony Frazer. Quelqu'un a une veste pour Judy ?

Aussitôt, John ôta sa veste et en couvrit sa partenaire.

— Merci, dit Judy, tu es un vrai gentleman.

— Pour toi, répondit-il, rien que pour toi.

Le regard qu'il posa sur elle n'était pas purement professionnel.

Dans la galerie emplie de musique et de voix joyeuses, Mark dansait sans entrain avec une jeune femme plus petite que lui d'une tête. Karen avait croisé Sarah et, à présent, elles avaient entamé une discussion. Elles jetèrent un coup d'œil à Harry, qui dansait toujours avec Mia.

— Je suppose que ça fait partie de son boulot de danser avec tout le monde, disait Sarah.

— Oui, répondit Karen, mais un peu plus avec certaines qu'avec d'autres.

Alors qu'elle observait les danseurs, Sarah vit soudain Karl à côté d'elle. Karen, qui avait poursuivi son chemin, s'adressait déjà à d'autres connaissances.

— Juste une danse, avant qu'il ne soit trop tard, dit Karl à Sarah.

— Avec moi ? demanda-t-elle, incrédule, et elle se retourna pour s'assurer qu'il ne parlait pas à une autre.

— Oui, répondit-il en hochant la tête, à moins que...

— Non, non, bafouilla-t-elle précipitamment, oui, avec plaisir. Merci.

Au moment même où ils commençaient à danser, la musique changea pour un air lent et romantique. Il parut donc tout naturel qu'ils se serrent l'un contre l'autre. Sarah adressa à Karl un sourire radieux. Elle semblait nager en plein bonheur.

À quelques rues de là, Carla Monroe, la directrice d'école, ouvrait la porte d'un petit appartement dans un immeuble de construction récente.

— C'est moi ! lança-t-elle.

— Bienvenue au foyer ! répondit Géraldine, sa compagne, de leur chambre à coucher.

Carla suspendit son manteau, posa son sac à main et se rendit dans la cuisine.

— Alors, comment ça s'est passé aujourd'hui ? demanda-t-elle en remplissant un verre d'eau.

— Oh, comme toujours, répondit Géraldine. Cahin-caha, mais après le déjeuner, il y a eu un épisode formidable de *Starsky et Hutch*. Ils conduisent vraiment comme des pieds, ces deux-là !

Carla se rendit dans la chambre où Géraldine, en pyjama, était assise sur le lit. Gravement malade et alitée, elle n'en avait pas moins conservé son humour. Carla était le roc inébranlable auquel elle s'accrochait.

— Tiens, bois d'abord ça, dit Carla en lui tendant le verre d'eau, après j'aurai quelques délicieuses petites saucisses pour toi, ajouta-t-elle en s'asseyant sur le bord du lit.

Géraldine but une gorgée et reposa le verre.

— Comment ça s'est passé à l'école ? demanda-t-elle.

Carla poussa un soupir excédé.

— Il est arrivé quelque chose de curieux, répondit-elle. J'avais convoqué la mère d'un élève qui avait rendu un devoir plutôt choquant. Après lui avoir expliqué de quoi il retournait, elle a demandé à sortir un instant pour parler à son fils, mais en fait elle nous a plantés là, Bob Trench et moi. C'est seulement au bout de dix minutes que nous avons compris qu'ils avaient fichu le camp.

— Merveilleux ! Ça t'apprendra à te prendre un peu moins au sérieux. Je parie que ce devoir était excellent.

— Eh bien, franchement... d'un certain point de vue, il était amusant, répondit Carla sans pouvoir s'empêcher de sourire. Ce garçon souhaitait voir les pets des gens.

— Bravo ! exulta Géraldine. C'est exactement ce que je voudrais pour Noël, moi aussi !

Elle éclata de rire, puis tressaillit soudain, transpercée par une douleur aiguë.

— Ça va, ma chérie ? s'inquiéta Carla.

Géraldine se redressa en prenant une profonde inspiration.

— Oui, ça va. Et maintenant, place aux saucisses ! Ce n'est pas cette nouvelle préparation avec de la viande de porc, du poireau, des bouts de pommes et tout le tremblement, j'espère ?

— Certainement pas, répondit Carla. Bon, d'accord, rectifia-t-elle avec un sourire, j'enlèverai les morceaux de pommes. Et le poireau. Et les asperges.

De nouveau, Géraldine partit d'un rire tonitruant et Carla lui fit écho. Son amour pour sa compagne faisait d'elle la plus chaleureuse des femmes.

Harry brancha le radio-réveil avant de se coucher. Comme toujours lorsque Karen et lui rentraient chez eux, il était le premier à se mettre en pyjama et à se glisser sous les draps. Il pensa à Mia, et l'imagina dans ses dessous les plus excitants, dans une chambre au décor pour le moins évocateur.

Un air de Noël jouait en sourdine à la radio lorsque Karen sortit de la salle de bains et entra dans leur chambre à la décoration plutôt classique.

— C'était une belle soirée, dit-elle, bien que j'aie constamment eu l'impression d'être un gros tas.

— Arrête un peu avec ça, fit Harry, puis, les bras croisés derrière la tête, il l'observa tandis qu'elle ôtait sa robe.

— C'est pourtant vrai, insista-t-elle. Maintenant, je peux seulement acheter des vêtements à la taille de Pavarotti.

Le regard critique de Harry enregistra qu'elle avait effectivement pris du poids.

— Mia est vraiment jolie, remarqua soudain Karen.

— Vraiment ? demanda-t-il en prenant un air indifférent.

Karen sourit.

— Tu le sais très bien, dit-elle, alors je te conseille de faire attention.

Assise dans la voiture de Karl, devant l'immeuble qu'elle habitait, Sarah était comme en état de choc. Lorsqu'il sortit de la voiture avec elle et l'accompagna jusque dans l'entrée, elle fut incapable d'élever la moindre objection.

— Bonne nuit, dit-il.

— Bonne nuit, répondit-elle.

Il l'embrassa sans cérémonie sur les lèvres. Lorsqu'il la regarda de nouveau, son visage respirait la franchise et l'honnêteté.

— En fait, rien ne m'oblige à partir, dit-il.

— C'est vrai, répondit-elle. Très bien. Pas de problème.

Elle s'efforçait de garder son sang-froid et de paraître détachée alors qu'elle aurait volontiers sauté de joie. Elle pressentait que ce moment était le plus beau de sa vie. Et qu'elle devait se maîtriser, car la joie qu'elle éprouvait était presque insupportable.

— Excuse-moi un instant, demanda-t-elle à Karl.

Elle se précipita dans le salon et referma la porte derrière elle. Les bras levés, elle gambada sur la moquette avec des cris de joie muets ; puis elle tomba à genoux et joignit les mains en une prière de remerciement tout aussi muette. Enfin, elle se releva, se ressaisit et c'est d'un air parfaitement détendu qu'elle retourna dans l'entrée.

— Ça va, dit-elle tranquillement, viens.

Soudain, elle se rappela l'état de sa chambre. Elle monta l'escalier en trombe et poussa la porte. Des vêtements et des chaussures étaient éparpillés autour du lit. Tandis que Sarah commençait à les ramasser à la hâte, Karl, resté en bas, secouait la tête avec un sourire. Il monta sans se presser. Entre-temps, Sarah bourrait le panier à linge de vêtements et, d'un coup de pied, repoussait les chaussures dans un angle de la pièce. D'un bond, elle arriva devant la radio posée sur la table de nuit et l'alluma. Lorsque Karl entra dans la chambre, elle s'immobilisa, hors d'haleine. Elle avait l'impression que son regard mi-amusé mi-moqueur la désignait comme la locataire la plus désordonnée de tout Londres, la pétrifiant sur place. Elle n'entendait même pas la douce musique de Noël, jouée par un quintette de swing, qui passait à la radio.

— Bonjour, chuchota Karl à mi-voix.

Puis, comme si c'était la chose la plus naturelle du monde, il ôta sa veste et s'approcha d'elle. En chemin, il laissa tomber sa veste sur le sol sans plus y prêter attention.

Comme hypnotisée par son regard, elle s'approcha de lui. Sous ses pieds, la moquette s'était depuis longtemps transformée en nuage. Lorsqu'elle envoya promener ses chaussures, la sensation d'apesanteur s'accentua. Elle adressa au Ciel une prière afin qu'un trou d'air ne la précipite pas au sol.

Mais de telles chutes ne se produisaient que dans les cauchemars. Et, dans les cauchemars, on ne vous embrassait pas aussi passionnément qu'on l'embrassait à l'instant même. Sarah noua les bras autour du cou de Karl et lui rendit son baiser avec une ferveur qu'elle n'avait jamais montrée auparavant. Si le désir qu'elle éprouvait avait pu se transformer en feu, ce pauvre Karl aurait probablement été carbonisé.

Elle décida de faire quelque chose d'utile, en harmonie avec la situation. Se redressant, elle commença à déboutonner la chemise de Karl. Lorsqu'il fut torse nu devant elle, elle embrassa son cou, ses épaules et sa poitrine. Il riposta en la libérant de son chemisier. Ainsi, tour à tour, ils avancèrent dans leurs préliminaires voluptueux, jusqu'à ce que tous deux jugent venu le moment décisif.

Ils se laissèrent tomber sur le lit, étroitement enlacés. Sarah portait encore son soutien-gorge et sa culotte alors que Karl était déjà étendu sur elle. Il n'avait pas encore réussi à ôter son pantalon. Sans s'inquiéter de ces obstacles, leurs lèvres s'unirent dans un nouveau baiser passionné.

— Attends, dit Karl, il faut d'abord que j'enlève ça.

Se tournant sur le côté, il défit sa ceinture et se débarrassa de son pantalon à coups de pieds. Aussitôt, Sarah se jeta sur lui. Assise au-dessus de lui, elle le contempla avec un sourire tendre.

— Tu es vraiment une belle fille ! dit-il en lui rendant son sourire.

Ils se regardèrent longuement. Elle défit son soutien-gorge d'une main mal assurée. Soudain, le téléphone sonna. Sarah sursauta et se figea. La sonnerie retentit six fois. Elle regarda les chiffres lumineux du radio-réveil. Il était plus de minuit et demi.

— Je crois que je dois répondre, dit-elle avec regret, et elle se rejeta sur le côté.

Elle mit un moment à retrouver le téléphone sans fil dans le désordre de la table de nuit.

Un flux de paroles s'échappait de l'écouteur. L'interlocuteur semblait surexcité et avait visiblement une foule de choses à raconter.

— Allô, mon chéri, dit-elle. Non, je ne fais rien en ce moment. Non, vraiment. Alors raconte. (Elle regarda d'un air d'excuse Karl, qui entre-temps s'était assis à côté d'elle, puis elle écouta un instant son interlocuteur.) Tu sais, je ne crois pas qu'il soit possible d'appeler le pape à cette heure de la nuit, mais...

Karl s'écarta lentement d'elle pour s'asseoir au bord du lit. Les lèvres de Sarah formèrent en silence le mot « désolée » tandis qu'elle continuait d'écouter.

— Non, non, dit-elle dans l'écouteur, je suis persuadée que c'est un excellent exorciste. Oui, Paul McCartney pourrait également très bien faire l'affaire. Je te promets de m'en occuper. O.K., salut. Je te rappelle. (Elle appuya sur la touche du téléphone et regarda Karl.) Je suis désolée.

— Non, non, ça va, répondit Karl en se tournant vers elle.

— C'était mon frère, expliqua Sarah. Il va mal. Il m'appelle très souvent.

— J'en suis vraiment navré, répondit Karl.

— Oh, ça va. Enfin, je veux dire, évidemment, ça ne va pas, mais c'est comme ça. Nos parents sont morts et nous sommes seuls au monde, alors c'est un peu mon devoir de m'occuper de lui. Enfin, pas un devoir au sens où... disons que je suis heureuse de pouvoir le faire pour lui.

— Bien sûr, bien sûr, répondit Karl, plein de compréhension. C'est normal. La vie est pleine de ruptures et de complications.

Il se pencha vers elle et l'embrassa. Elle se lova contre lui, s'abandonnant à la chaleur et à la force de son corps. Ils eurent exactement vingt secondes de répit avant que le téléphone ne recommence à sonner. Sarah se redressa et contempla fixement l'appareil.

— Quand tu parles avec lui, ça lui fait du bien ? lui demanda Karl.

— Non, répondit-elle en secouant la tête d'un air affligé.

La sonnerie du téléphone lui vrillait les nerfs.

— Alors peut-être vaudrait-il mieux... ne pas répondre.

Le regard de Sarah allait et venait du téléphone à Karl. Elle considéra ce dernier sans répondre, puis elle prit le téléphone et appuya sur la touche.

— Salut, dit-elle. Comment ça va ? Oui ?

Karl restait immobile au bord du lit.

— Non, mon trésor, reprit Sarah d'un ton maternel, ne fais pas ça, je t'en prie. Nous allons trouver une solution ensemble et, après, tu n'auras plus mal.

Karl se prit la tête entre les mains et attendit.

— Non, je ne fais rien en ce moment, dit Sarah. Si tu veux, je peux venir, bien sûr.

Karl se retourna et la regarda avec consternation. Elle baissa la tête. Il y avait seulement le lit entre eux, mais ils auraient aussi bien pu être à des kilomètres l'un de l'autre.

Dans une autre chambre, au même moment, une femme allongée fixait le plafond avec angoisse. C'était Carla Monroe, la directrice d'école. Bien que Géraldine fût endormie à côté d'elle, elle ne parvenait pas à fermer l'œil.

La respiration de Géraldine était pénible – rauque, irrégulière, tantôt oppressée comme par un poids trop lourd, tantôt si imperceptible que Carla sursautait en croyant qu'elle avait soudain cessé de respirer.

Carla songeait à ce que les enfants et les adultes souhaitent pour Noël. Elle savait que ce qu'elle-même souhaitait était aussi irréalisable que le vœu du petit Bernie.

— Un jour seulement, mon Dieu, que Géraldine guérisse seulement pour un jour... celui de Noël.

Elle tendit l'oreille dans le silence de la nuit et comprit qu'elle ne recevrait pas de réponse.

Pourtant, elle continuait d'espérer.

Karen Trevor était également éveillée dans son lit, à côté de son époux Harry. Elle entendait sa respiration profonde et régulière et elle était sûre que ce bruit appartiendrait bientôt au passé. Ce n'était plus qu'une question de temps, car elle avait déjà perdu Harry.

Elle jeta un regard vers son visage éclairé par la faible lueur de la lune, des étoiles ou des réverbères. À l'exception de quelques petites rides, le visage de l'homme qu'elle avait aimé était toujours le même – qu'elle avait aimé ou qu'elle aimait encore ?

La réponse à cette question changerait-elle quoi que ce soit ?

Des larmes se formèrent au coin de ses paupières.

Au bord des larmes, Daniel ne pouvait se lasser de contempler la photographie encadrée sur sa table de nuit. Elle montrait une Jo jeune, joyeuse, sereine et belle. Il se rappela comment il l'avait fait rire alors qu'il la photographiait pendant cette excursion à la campagne. À cette époque, la maladie et la mort étaient des sujets auxquels ils ne pensaient que rarement. Quand tel était le cas, cela concernait toujours les autres. Cette nuit, comme il n'arrivait pas à dormir, il écoutait des chansons tristes à la radio et toutes ses pensées le ramenaient à Jo. En réalité, elle s'appelait Joanna.

Daniel songea que le grand et supposé éternel amour de Sam s'appelait également Joanna. Un hasard troublant, certes. Peut-être même un clin d'œil du destin ? À peine avait-il pensé à Sam que la porte de la chambre s'ouvrit, et son beau-fils entra. Daniel s'assit au bord de son lit et parvint de justesse à dissimuler l'émotion qu'il éprouvait avant l'arrivée de Sam.

— J'ai des nouvelles catastrophiques, dit Sam, qui, l'air abattu, se tenait devant le lit.

— Raconte, ordonna Daniel.

— Joanna rentre aux États-Unis.

Daniel fit une grimace d'étonnement.

— Elle est américaine, ta copine ? demanda-t-il.

— Oui, répondit Sam sur un ton morne. Elle est américaine et ce n'est pas ma copine. Elle rentre aux États-Unis et ma vie est finie, du moins celle que j'ai menée jusqu'à maintenant.

— Oh, fit Daniel d'un air peiné. C'est vraiment une mauvaise nouvelle. Ce qu'il nous faudrait maintenant, c'est Meg, et en vitesse.

Sam acquiesça sans entrain. Pourtant, il aimait le rituel auquel Daniel et lui-même s'étaient habitués lors de leurs nuits sans sommeil. Il était simple, mais bienfaisant. Ils allaient s'asseoir dans la cuisine pour regarder la vidéo de *Nuits blanches à Seattle* en vidant un pot de glace vanille-noix-chocolat de cinq cents grammes.

— Tu sais, Sam, fit Daniel alors qu'à l'écran Meg Ryan et Tom Hanks avaient enfin trouvé leur bonheur, je suis sûr que ta copine est quelqu'un d'extraordinaire et d'unique, mais il n'y a pas qu'une seule fille au monde.

— Mais c'est pourtant vrai pour Meg et Tom, le contredit Sam. Et pour toi et maman. Et c'est pareil pour moi. Pour moi, il n'y a qu'une fille au monde, dit-il en levant le pouce pour souligner cette affirmation.

— D'accord, c'est un argument, admit Daniel. Et elle s'appelle vraiment Joanna ?

— Oui, comme maman. C'est bizarre, non ?

— Bah, d'une certaine manière, c'est plutôt une chance pour nous. Au moins, il nous reste la divine inspiration de Scott Walker.

— Qui c'est ? demanda Sam, perplexe.

— Écoute un peu et tu vas voir, lui lança Daniel avec un clin d'œil.

Il conduisit son beau-fils dans le salon, prit un vieux disque de Scott Walker et chercha la chanson intitulée « Joanna ». Pendant les premiers accords, Daniel fit semblant de jouer l'introduction sur un piano imaginaire, puis il chanta doucement les paroles avec le chanteur et il se livra enfin à une imitation spectaculaire du grand Scott Walker. Sam se joignit à lui en feignant de jouer de la batterie.

Joanna, I can't forget the one they call Joanna
We owned the summer hand in hand... Joanna
And now she's always just a tear away...
Goodbye you, you long lost summer leaving me behind you[1]...

---

1. Joanna, je ne peux oublier celle qu'on appelait Joanna
Main dans la main, ensemble nous possédions l'été... Joanna
Maintenant encore, une seule larme peut la ressusciter
Adieu, été perdu qui m'as abandonné...

La pluie tombait à verse sur l'aéroport de Heathrow. Colin et Tony sortirent du taxi et s'engouffrèrent à l'intérieur du bâtiment.

— Quand tu reviendras, tu seras un homme brisé, prophétisa Tony tandis qu'ils secouaient leurs vêtements trempés.

— Ouais, répondit Colin, les reins brisés par l'abus de sexe.

Tony soupira et renonça à toute tentative d'éclairer son ami. Il fit rouler sa valise vers le guichet d'enregistrement, puis l'accompagna jusqu'à la douane.

— Tu vas droit à la catastrophe ! lui lança-t-il.

— Foutaises, répliqua Colin en déposant sa valise sur le tapis roulant pour le contrôle de sécurité, je vais droit aux super coups – en route vers l'Ouest !

Tony secoua la tête, découragé.

— Toutes les Américaines ont les yeux de Piggy la cochonne ! dit-il.

— Adieu, *loser* ! cria Colin en saluant son ami de la main. Amérique, prends garde à toi : voici Colin Frissell !

Quelques secondes plus tard, il avait disparu dans la foule affluant vers la porte d'embarquement.

Tony se détourna et s'éloigna. Soudain, il se sentit misérablement seul. Il comprit alors à quel point Colin allait lui manquer. Il n'avait pas la moindre idée de ce qu'il allait devenir sans lui.

Au lendemain de la soirée de Noël, l'atmosphère de Fairtrade était plus paisible que d'habitude – les voix plus basses, les cliquetis des claviers plus mesurés, et l'on n'entendait pas de radio. De plus, un certain nombre de bureaux étaient inoccupés.

Harry avait appelé Mia afin de lui donner des instructions pour la journée.

— Bien, dit-il lorsqu'il eut terminé, je serai de retour vers trois heures. Au programme : les achats de Noël, autant dire une corvée.

Il se dirigeait déjà vers la porte lorsque Mia l'arrêta avec une question.

— Tu m'achèteras quelque chose ? demanda-t-elle.

La soirée avait été l'occasion idéale pour nouer des relations plus familières, sans aller plus loin.

— Euh... je ne sais pas, dit Harry, déconcerté. Je n'y avais pas pensé.

Le regard brûlant de Mia le troublait de plus en plus. Le désir était entre eux comme un objet palpable.

— Au fait, où est Sarah ? demanda Harry pour détourner la conversation.

À vrai dire, Sarah n'était pas la seule à être absente, loin de là.

— Elle n'a pas pu venir aujourd'hui, pour des raisons familiales, répondit Mia.

— C'est une traduction de « gueule de bois » que je n'avais encore jamais entendue jusqu'ici, fit Harry avec un sourire. Bon, à plus tard.

— Je l'espère de tout mon cœur, répliqua Mia.

Il sortit précipitamment afin de fuir ces émotions inattendues qu'il était encore incapable d'affronter.

Cadeaux de Noël

Sarah et son frère Michaël étaient assis face à face dans une pièce de la clinique qui était comme une enclave de solitude. Nul bruit ne filtrait de l'extérieur. Seules les deux caméras placées à des angles opposés du plafond constituaient la preuve que Sarah et son frère n'étaient pas vraiment seuls.

Michaël n'avait plus guère de ressemblance avec le jeune homme de la photo posée sur le bureau de Sarah. Blême et bouffi, les cheveux gras et raides, il avait l'air d'un spectre. La lumière froide des néons renforçait encore cette impression.

Frère et sœur se contemplèrent longtemps sans un mot.

— Tu as regardé la télévision ? demanda finalement Sarah.

— Non, répondit Michaël sur un ton inexpressif.

— Oh ! s'exclama Sarah, désorientée.

— Si, reprit Michaël en hochant la tête, tous les soirs.

Sarah sourit.

— Alors c'est bien, dit-elle.

— Ils veulent me tuer, lui révéla Michaël sans transition.

Sarah secoua la tête sans se départir de son sourire.

— Personne ne veut te tuer, mon chéri.

Il la regarda fixement, puis, lentement, très lentement, il leva la main droite pour la frapper. La
porte s'ouvrit à la volée et un aide-soignant se précipita vers eux pour protéger Sarah, mais elle saisit
la main levée et dit doucement :
— Non, ne fais pas ça, mon chéri.

Dans toute la ville s'élevaient des sapins couverts
de guirlandes lumineuses. Des illuminations plus
baroques les unes que les autres ornaient les maisons
ou les vitrines des magasins et jetaient des ponts
lumineux au-dessus des trottoirs et des rues. Chaque
jour, l'atmosphère de Noël gagnait du terrain.
Harry avançait au rythme de la foule. Comme la
plupart des passants, il savait où il allait, où il
pourrait se procurer tel ou tel cadeau sans perdre
trop de temps. Les indécis qui s'arrêtaient soudain
devant une vitrine rompaient le rythme de la cir-
culation, contraignant les passants à un piétine-
ment pénible.
L'air froid lui avait rafraîchi les idées, mais son
trouble persistait. Afin de s'en débarrasser, il prit
son téléphone portable et composa le numéro
de son bureau. Il eut aussitôt Mia à l'autre bout
de la ligne.
— Dis-moi un peu… commença-t-il en évitant un
couple qui, juste devant lui, s'était arrêté devant une
vitrine, est-ce que toi aussi tu vas me faire un cadeau ?
Mia rit doucement.
— Je croyais avoir été suffisamment claire hier
soir, dit-elle. En ce qui me concerne, c'est bien
simple : tu peux tout avoir.
Le trouble qu'éprouvait Harry s'accentua. La
réponse de Mia l'avait précipité dans un tourbillon

d'émotions qui l'aspirait irrésistiblement. Il comprit aussitôt qu'il serait vain de se débattre : cette attraction l'emportait sur tout ce qu'il avait pu connaître auparavant.

Le téléphone qu'il tenait à la main le brûla soudain, du moins ce fut son impression lorsqu'il l'éteignit. Il ne percevait plus la foule autour de lui, ni la galerie de Mark Doherty devant laquelle il passait à ce moment-là.

À l'intérieur de la galerie, Mark était au téléphone. Il jeta un coup d'œil agacé à deux écolières qui, à quelques pas de lui, examinaient en gloussant des photos de pénis. Elles riaient à un volume ascendant et descendant, de toute la force de leurs petites voix aiguës.

— Attends un instant, fit Mark à son interlocuteur, puis il couvrit le récepteur d'une main. Hé, là-bas ! lança-t-il aux écolières. Ces photos ne sont pas censées être comiques ! C'est de l'art ! (Après avoir ôté sa main du récepteur, il reprit sa conversation :) D'accord, disons jeudi, chez moi ?

— Je ne peux pas attendre jeudi, répondit Peter Murray à l'autre bout de la ligne, dans le bureau de son agence. Nous avons des photos de requins sensass. Oh, j'ai Juliette sur l'autre ligne, je peux te la passer ? Elle voudrait te demander un petit service.

Mark poussa un soupir.

— Très bien, si tu veux, fit-il.

— Merci. Et sois gentil avec elle.

— Je suis toujours gentil.

— Tu vois ce que je veux dire, Mark. Essaie de te montrer aimable.

— Mais, je suis toujours… insista Mark, mais un léger déclic l'interrompit.

— Allô, Mark ? s'exclama Juliette.

— Bonjour, répondit-il docilement. Comment s'est passée la lune de miel ?

— Merveilleusement. Et merci pour l'organisation de la fête, c'était fantastique.

Aux bruits de fond, Mark devina que Juliette l'appelait également de son bureau.

— Alors, que puis-je faire pour toi ? s'informa-t-il poliment.

— Il s'agit seulement d'un tout petit service que je voudrais te demander. Je viens de regarder la vidéo de notre mariage, et c'est une catastrophe ! se lamenta-t-elle. Tout est flou et surexposé.

— Oh, j'en suis désolé, fit Mark avec un accent de regret.

— Je me souviens que tu as filmé toute la soirée, reprit Juliette, alors je me demandais si je pourrais jeter un coup d'œil à ta cassette.

— Oh non ! s'exclama Mark, horrifié. Enfin, je veux dire, je n'ai même pas…

Tandis qu'il s'efforçait de dissuader Juliette, des écolières affluaient dans la galerie. Elles étaient déjà plus de dix. Visiblement, les deux premières étaient entrées par hasard, mais depuis, grâce aux téléphones portables, leur nombre n'avait fait que croître. Cela rappelait à Mark le mystérieux moyen de communication dont semblaient disposer les corbeaux des *Oiseaux* d'Alfred Hitchcock.

— Je t'en prie, implorait Juliette. Tout ce que je veux, c'est une prise de vue de moi en robe de mariée qui ne soit pas bleu turquoise. Tu dois bien avoir dix secondes de ça sur ta cassette.

Mark respira profondément. À présent, une cinquantaine d'écolières en uniforme se pressaient dans sa galerie avec de petits rires.

— D'accord, répondit-il enfin. Je vais jeter un coup d'œil, mais je crois bien que j'ai déjà tout effacé. Excuse-moi, je dois te laisser.

Il raccrocha, maussade.

— O.K., c'est très drôle, lança-t-il aux écolières, mais maintenant, sortez ! À moins que vous n'ayez trois mille livres à claquer pour de la pornographie intégrale.

Les écolières se turent et le dévisagèrent un instant, puis, au premier rang, l'une d'entre elles porta la main à sa bouche en pouffant. Une autre l'imita et, quelques secondes plus tard, toutes le regardaient en gloussant.

Il avait une vague idée de ce qu'elles pouvaient imaginer.

— Dehors ! explosa-t-il.

Cette fois-ci, ce fut efficace.

Harry était dans l'une des artères commerçantes lorsqu'il éprouva de nouveau le besoin irrésistible d'appeler Mia.

— Allô, euh... de quoi as-tu besoin ? lui demanda-t-il. D'un article de papeterie ? Il te manque peut-être quelques stylos ?

— Non, répondit-elle. J'aimerais quelque chose dont je n'ai pas besoin. Quelque chose que j'aimerais avoir. Quelque chose de joli.

— Ah oui... très bien, fit Harry, et il coupa la communication.

Encore en proie à des émotions tumultueuses, il aperçut soudain Karen dans la foule amassée devant le grand magasin. Il lui fit signe et se fraya un chemin jusqu'à elle.

— Désolée d'être en retard, s'excusa-t-elle. Je devais déposer Bernie à l'école pour la répétition.

Harry parvint à s'arracher un sourire.

— Est-il toujours traumatisé de ne pas pouvoir être un crustacé ? demanda-t-il.

Karen se mit à rire.

— Il prétend que seules les lavettes croient aux anges. Je dois dire qu'il a tout à fait raison. C'est un enfant intelligent.

Ils se laissèrent porter par la foule qui affluait au rez-de-chaussée du grand magasin.

— Si tu peux t'occuper pendant dix minutes, je vais expédier les achats pour nos mères, proposa Karen, puis elle l'embrassa et s'éloigna.

Harry regarda rapidement autour de lui. Le rayon bijouterie lui sauta alors aux yeux. Il réfléchit une seconde à peine avant de s'avancer vers l'un des comptoirs. Il repéra aussitôt dans la vitrine ce qu'il cherchait. Malheureusement, une file d'acheteurs attendait déjà. Soudain, un vendeur très stylé apparut devant lui. Sur le revers de sa veste, une étiquette indiquait qu'il portait le nom de Rufus.

— Désirez-vous quelque chose, monsieur ? demanda-t-il à Harry.

— Oui, euh… fit Harry en désignant la vitrine, cette chaînette, là… combien coûte-t-elle ?

— Trois cent soixante-dix livres, monsieur.

Harry en resta sidéré.

— Quoi ? s'écria-t-il.

Il comprit que la décision à prendre allait lui coûter tant sur le plan financier que sur le plan moral. Il se jeta à l'eau.

— Très bien, je la prends, dit-il.

C'était une chaînette en or fin avec, en pendentif, un cœur en filigrane d'or.

— Dois-je faire un paquet cadeau ? demanda Rufus.

Harry fut pris au dépourvu. Il n'avait même pas pensé à ce détail.

— Oui, pourquoi pas ? répondit-il, réjoui.

— Mais naturellement, dit Rufus avec une politesse toute professionnelle, comme s'il félicitait le nouveau client de sa décision.

Il ouvrit une porte à l'arrière de la vitrine, saisit délicatement la chaînette et la déposa sur un coussinet en velours bleu sombre. Puis, se retournant, il ouvrit un tiroir et en sortit une petite boîte.

— Voilà, déclara-t-il sur un ton solennel en se retournant vers Harry, l'écrin pour le joyau.

Avec les plus grandes précautions, il déposa la chaînette dans la boîte en la redressant du bout des doigts afin qu'elle tombe bien, puis il referma le couvercle de la boîte.

— Parfait, commenta Harry, que la méticulosité du vendeur commençait à impatienter.

— Mais ce n'est pas terminé ! annonça joyeusement Rufus, qui s'employa aussitôt à faire la démonstration de ses talents de décorateur.

Il se dirigea vers un comptoir sur lequel étaient posés des rouleaux de papier d'emballage et des rubans soyeux aux couleurs variées.

— Bleu ou bordeaux ? demanda-t-il à Harry.

— Euh… le bleu ira très bien, décida Harry. Écoutez, je vous serais reconnaissant d'aller un peu plus vite.

— Mais bien entendu, monsieur, répondit obligeamment Rufus. Je serai plus rapide que l'éclair…

Avec une aisance révélant une longue pratique, il coupa un bon demi-mètre de ruban, le noua autour de la boîte et, de ses doigts minces et agiles, paracheva son ouvrage en frisant avec art les extrémités du ruban.

— Merveilleux, le félicita Harry, dans l'espoir de mettre un point final au numéro.

— Merci, monsieur, répondit Rufus en esquissant une courbette. Nous avons à cœur d'embellir encore les plus beaux objets.

— Oui, et vous y réussissez à merveille, le complimenta Harry.

Rufus prit une paire de ciseaux dans le tiroir et inséra les extrémités du ruban entre les lames, auxquelles il imprima un mouvement rapide. En un clin d'œil, le ruban se replia, formant une fleur artificielle.

— C'est fantastique, déclara Harry, qui commençait à être à bout de nerfs.

Il se maîtrisa néanmoins en pensant que le processus artistique touchait à sa fin.

Rufus se retourna et ouvrit un autre tiroir où il prit un sac en cellophane transparente.

— Dieu du ciel ! gémit Harry. Je n'ai pas besoin d'un sac ! Je peux mettre la boîte dans la poche de ma veste.

— Ceci n'est pas un sac, monsieur, l'informa Rufus.

— Ah bon ? demanda Harry au bord du désespoir.

— Non, monsieur. C'est bien plus qu'un sac.

Il l'ouvrit, se retourna et se pencha sur un nouveau tiroir d'où il sortit une poignée de petites roses et de fleurs de lavande séchées qu'il fit tomber dans le sac.

Harry consulta sa montre et jeta un regard inquiet à l'ascenseur, qui était à quelques pas. Les grappes d'achcteurs qui s'en déversaient semblaient arriver des étages supérieurs à un rythme toujours plus rapide.

— Pourrions-nous en finir ? insista-t-il.

— Mais naturellement, monsieur. *Prontissimo*, répondit Rufus avec un signe de tête encourageant.

Au même moment, son téléphone portable sonna. D'un geste adroit, il le sortit de sa poche en s'excusant d'un « un instant, je vous prie, monsieur », et répondit, le regard perdu au-dessus de la mêlée des têtes.

— Allô ? Salut, Gabriel ! Oui, bien sûr, mais pas tout de suite. Je te rappelle. À plus tard ! Excusez-moi, monsieur, dit-il à Harry. Bon, et maintenant...

Effaré, Harry le regarda fermer le sac en en vrillant les bords et ouvrir encore un tiroir dont il sortit un bâton de cannelle de dix centimètres.

— Qu'est-ce que c'est que ça ? demanda Harry d'une voix mourante.

— C'est un bâton de cannelle, monsieur.

— Vraiment, je ne peux pas attendre plus longtemps !

— Vous ne le regretterez pas, monsieur.

— Si ! On parie ? lui lança Harry en jetant autour de lui des regards furibonds.

— Ce n'est plus qu'une question de secondes à présent, assura Rufus d'un ton apaisant, et il fixa le bâton de cannelle sur le côté du sac. Voilà, c'est presque terminé !

— Presque ? répéta Harry avec ahurissement. (Que pouvait-il bien manquer encore ?) Avez-vous l'intention de le plonger dans du yaourt et de l'asperger de truffes au chocolat ?

— Non, monsieur, répondit Rufus en secouant la tête avec le plus grand sérieux. (Ouvrant un autre tiroir, il en sortit une boîte un peu plus grande que l'écrin, ornée de motifs d'arbres de Noël et de bougies stylisés.) Voilà, et maintenant, je place le tout dans ce carton de Noël.

— Mais je ne veux pas de carton de Noël ! éclata Harry.

Rufus le regarda, médusé.

— Mais, monsieur, vous m'avez dit que vous vouliez un paquet cadeau... répondit-il.

— Oui, mais...

— Ceci n'est que la cerise sur le gâteau, monsieur.

— Oh, mon Dieu ! (Harry était à deux doigts d'étrangler le vendeur, mais ses bonnes manières lui revinrent juste à temps.) Puis-je payer, maintenant ? implora-t-il en jetant autour de lui des regards de bête traquée.

— Mais bien entendu, monsieur, répondit Rufus avec bienveillance. Je dépose juste le cadeau dans ce carton, et j'y ajoute une petite branche de houx.

— Ah non ! se révolta Harry. Non ! Pas de saleté de houx !

Soudain, il s'interrompit, car il venait d'apercevoir Karen. Elle était juste à côté de lui. Il s'écarta précipitamment du comptoir en soufflant : « Laissez tomber, pour l'amour de Dieu, laissez tout tomber ! »

— Désolée d'avoir été si longue, dit Karen en lui adressant un clin d'œil. Tu as passé tout ce temps au rayon bijouterie ?

— Non, non, se défendit Harry, je ne faisais que passer.

Karen rit et fit un geste rassurant.

140

— Pas de panique, après treize ans passés en compagnie de monsieur Mais-je-croyais-que-tu aimais-les-foulards, je n'en demande pas tant !

Harry eut un sourire contraint. Karen se pendit à son bras et ils sortirent du magasin.

— C'était moins une, murmura Rufus en les suivant du regard, puis il se détourna et disparut sans que quiconque l'ait remarqué.

C'était en réalité un ange gardien.

Entre-temps, Harry et Karen avançaient dans l'artère commerçante animée. À quelques pas d'eux, Jamie se frayait un chemin dans la foule. Il rentrait tout juste de France. Il scrutait du regard les façades des immeubles et, bientôt, il trouva ce qu'il cherchait. C'était un bâtiment passablement décrépit. À droite de l'entrée, on pouvait lire sur une plaque : BEDFORD SCHOOL OF LANGUAGES.

Jamie ouvrit la porte. Avant d'entrer, il s'effaça courtoisement devant un père Noël qui sortait de l'immeuble.

Après quelques scènes en extérieur, l'équipe était retournée aux studios. La scène que Judy et John devaient maintenant doubler se déroulait de nouveau dans l'appartement au décor ultramoderne. Cette fois-ci, un canapé en cuir gris était au centre des opérations.

— Et maintenant, la dernière position ! lança le metteur en scène.

Judy était à quatre pattes sur le canapé, John agenouillé derrière elle. À quelques mètres d'eux, le cameraman attendait le signal.

— Je commence à paniquer à cause de tous ces préparatifs de Noël, dit Judy à John. À ton avis, est-ce que les enfants aiment encore Noddy ? Tu sais, ce petit chien mécanique qui hoche la tête et qui remue la queue ?

— Bien sûr que oui ! Moi, je suis dingue de mon neveu de six ans. Tu crois qu'un cheval à bascule lui plairait ?

— Je me demande comment cette idée t'est venue, répondit-elle avec un sérieux mortel.

Il éclata de rire et elle ne put s'empêcher d'en faire autant. Ensemble, ils furent pris d'un fou rire qui s'acheva en gloussements.

Le metteur en scène se pencha vers Tony pour lui murmurer quelque chose à l'oreille.

— Bon, c'est fini, les enfants ! lança Tony au couple. Calmez-vous, maintenant, et concentrez-vous. On va être en retard, sinon.

— Désolée, répondit Judy.

Ils recommencèrent à mimer un acte sexuel passionné.

— Écoute, Judy, dit John sans interrompre ses mouvements, est-ce que tu pourrais envisager...

— Quoi ? demanda-t-elle en le voyant hésiter.

— O.K., c'est parfait ! interrompit Tony en frappant dans ses mains. Les doublures peuvent se rhabiller. Que tous les autres se préparent pour l'arrivée des acteurs !

— Qu'est-ce que tu disais ? demanda Judy en se dirigeant vers le vestiaire.

— Oh, rien, répondit John, gêné, rien.

La salle de classe éclairée au néon était divisée en compartiments. Dans chacun d'eux était installée une table équipée d'un magnétophone. Les élèves, tous adultes, étaient coiffés d'écouteurs dans lesquels ils entendaient les phrases qu'ils répétaient en prenant des notes.

La plupart étaient des étrangers venus apprendre l'anglais. Des phrases prononcées lentement dans un anglais pédant résonnaient dans les casques.

Jamie était le plus zélé pour prendre des notes. Dans ses écouteurs, une voix parlait en portugais, très lentement et en articulant soigneusement : « Avez-vous le même menu en anglais ? Mon Dieu, j'ai des brûlures d'estomac, c'est sûrement à cause des crevettes. »

Mark se détendait chez lui après une matinée de travail. Confortablement installé dans le salon, il regardait la télévision. Lorsqu'on sonna à la porte, il s'extirpa à contrecœur de son fauteuil pour descendre ouvrir.

Juliette se tenait sur le seuil. À en juger par le sac qu'elle avait à la main, elle venait tout droit de chez Starbucks.

— Tu veux un Banofee Pie ? demanda-t-elle en guise de salut.

— Non, merci, répondit Mark.

Il n'avait jamais aimé ce gâteau écossais à la banane et au caramel et ce n'était pas la variante de Starbucks qui allait le faire changer d'avis.

— Tant mieux ! répondit Juliette avec soulagement. J'en achète un tous les samedis. Un seul, jamais deux. Ça m'aurait fendu le cœur que tu répondes oui.

— Eh bien, réjouis-toi, petite veinarde, lui lança Mark avec un sourire moqueur.

— Je peux entrer ? demanda-t-elle à brûle-pourpoint.

Il hésita.

— Oui, enfin… euh… en fait, j'ai pas mal de trucs à faire, mais…

Puis il abandonna et, haussant les épaules, l'invita à entrer d'un geste de la main.

Ils montèrent à l'étage. À la télévision passait le programme du samedi pour les enfants. Mark s'empressa d'éteindre le poste. Il offrit l'un des fauteuils à Juliette et s'assit face à elle. Elle posa son sac à ses pieds.

— Je ne fais que passer, dit-elle. Je me disais que je pourrais juste jeter un coup d'œil à ta vidéo du mariage. Je pensais t'offrir en échange le Banofee Pie, ou bien… (Elle sortit un petit paquet de la poche de sa veste.)… des chewing-gums au vin.

— Tu sais, répondit Mark, j'étais sérieux quand je te disais que je ne savais pas où était passée la cassette. Il faudrait que je la cherche ce soir. Peut-être que je pourrais la retrouver, et alors…

— Mark, l'interrompit Juliette d'un air grave, je peux te dire quelque chose ?

— Oui, grommela-t-il sans enthousiasme.

— Je sais que Peter est ton meilleur ami. Je sais aussi que tu n'as jamais vraiment eu d'atomes crochus avec moi. (Elle éleva la main pour couper court à ses protestations.) Non, non, inutile de répondre. Nous ne sommes jamais vraiment devenus… amis. J'aimerais seulement te dire que j'espère que ça changera. Je suis quelqu'un de très bien, dit-elle en riant. Oui, vraiment, à part mon goût atroce en matière de chaussures. Ce serait vraiment sympa de devenir amis.

— Oui, bien sûr, répondit Mark avec une certaine froideur.

Juliette sortit son Banofee Pie de son sac, défit l'emballage et mordit dedans de bon cœur.

— Fantastique, dit-elle sans chercher à dissimuler qu'elle était blessée par sa réaction.

Néanmoins, elle se ressaisit, se leva et se dirigea vers l'étagère où étaient rangées les cassettes vidéo. Mark ne l'aimait pas, tout simplement, et il n'allait pas changer – du moins, pas du jour au lendemain.

— Je ne crois pas que nous pourrons si facilement remettre la main sur cette cassette, dit-il. J'ai vraiment cherché partout après ton coup de fil, mais on dirait qu'elle s'est volatilisée.

Juliette avait commencé à examiner les tranches des jaquettes.

— Sur celle-là, je lis : « Mariage de Juliette et Peter. » Se pourrait-il que nous soyons sur la bonne voie ?

— Euh… oui… bafouilla Mark, puis, feignant la surprise : mais oui ! C'est sûrement ça !

— Super ! Je finis d'abord ça, dit-elle en engloutissant le reste de son Banofee Pie, et ensuite… ça t'ennuierait si je… ?

Sans achever sa phrase, elle se dirigea vers le magnétoscope placé sous le poste de télévision. Mark se leva, tout en hésitant encore à intervenir.

— Comme je te le disais, j'ai dû enregistrer d'autres trucs par-dessus, dit-il afin d'arrêter Juliette dans son élan. Il doit y avoir des épisodes de *West Wing* sur presque toutes les cassettes, alors je ne crois pas…

Il s'arrêta en comprenant qu'il était trop tard.

Juliette inséra la cassette dans le magnétoscope, alluma le poste de télévision et pressa la touche « marche ». Puis elle prit la télécommande, recula et se laissa tomber dans le fauteuil.

Des flocons de neige et des barres tressautèrent sur l'écran avant de former une image à la définition parfaite sur laquelle on voyait Juliette se diriger vers l'autel.

— Bingo ! s'exclama-t-elle. Fantastique ! Tu t'es débrouillé comme un chef !

La scène suivante montrait également Juliette lors de la cérémonie avec le prêtre.

— C'est merveilleux ! s'extasia-t-elle en joignant les mains d'un air recueilli. Mark, c'est exactement ce que je voulais. Tu ne peux pas savoir à quel point je t'en suis reconnaissante !

Il eut un sourire contraint, comme s'il voulait dire : « Je suis content d'avoir pu t'aider », mais il resta silencieux.

Sur l'écran se succédaient des prises de vue tournées devant l'église aussitôt après la cérémonie. C'étaient uniquement des gros plans de Juliette.

— Tu as filmé de très près, remarqua-t-elle avec un début d'étonnement dans la voix.

Elle se retourna et regarda Mark. Il avait dissimulé le bas de son visage derrière sa main, comme s'il n'osait plus prononcer un mot. Seuls ses yeux étaient encore visibles. Il rendit son regard à Juliette.

Après une coupure, la cassette retransmettait le discours de jeune marié de Peter, mais la caméra cadrait aussitôt Juliette, son sourire irrésistible, son visage rougissant, et rien d'autre. Sur tout l'enregistrement, on ne voyait pratiquement qu'elle.

Il en allait de même lors du bal. Mark n'avait filmé que son visage – le nez de Peter apparaissait parfois furtivement dans le champ. Enfin, à la fin des festivités, on voyait Juliette, en tenue de ville, faire un signe d'adieu. La cassette s'achevait sur le départ des mariés pour leur lune de miel. Ensuite, l'écran n'était plus qu'une surface blanche papillotante, qui devint noire lorsque Juliette pressa la touche « arrêt ».

Elle se retourna et dévisagea Mark. Son regard exprimait un étonnement incrédule, comme si elle le voyait pour la première fois.

— Il n'y a que moi à l'écran, souffla-t-elle.

— Oui, répondit-il, oui, c'est vrai.

Pendant un moment, elle ne put que le regarder en silence.

— Mais tu ne parlais jamais avec moi, seulement avec Peter, dit-elle enfin. Je croyais que tu ne pouvais pas me sentir.

Nouveau silence. Mark décida qu'il était incapable de faire face à la situation.

— J'espère que tu pourras en tirer quelque chose, dit-il en désignant la cassette, mais je te demande de ne pas trop la montrer autour de toi. (Il consulta sa montre.) Écoute, il faut que j'aille acheter de quoi déjeuner. Tu trouveras bien la sortie toute seule, je pense ? (Il se dirigea vers la porte. Sur le seuil, il se retourna.) C'est une question d'autodéfense, tu comprends ?

Dehors, il tourna à droite et s'éloigna d'un pas décidé. Néanmoins, après quelques mètres, il ralentit, hésita et se retourna. Il refit deux pas en direction de son appartement, puis, se ravisant, il fit demi-tour et poursuivit son chemin.

Il croisa un jeune garçon en uniforme d'écolier qui avait l'air triste. Il s'agissait de Sam. Ce dernier s'arrêta soudain devant la vitrine d'un magasin de disques contenant un poste de télévision. Sur l'écran passait le dernier clip de Billy Mack. On le voyait chanter tandis que ses groupies se balançaient en rythme, vêtues de tenues très sexy d'assistantes du père Noël. Elles brandissaient des briquets allumés et poussaient des cris d'enthousiasme.

Sam eut soudain une idée. Il tourna les talons et partit en courant.

Daniel leva la tête, stupéfait, lorsque la porte de son bureau s'ouvrit à la volée. Sam entra en trombe. Il portait encore son uniforme.

— J'ai une idée ! s'écria-t-il, surexcité.

— Enfin ! fit Daniel, soulagé.

Sam s'appuya sur son bureau pour se pencher vers lui.

— Les filles sont folles des musiciens, non ? Même les plus minables ont des groupies.

— C'est vrai, approuva Daniel. Lionel Ritchie n'a encore jamais dormi seul.

— Eh bien, poursuivit Sam, le lycée organise un grand concert en fin d'année et elle y participe. Je me disais que si je pouvais jouer dans son groupe, et comme un dieu, alors il y aurait peut-être une chance pour qu'elle tombe amoureuse de moi. Qu'est-ce que tu en penses ?

— Je trouve que c'est une idée lumineuse, répondit Daniel, impressionné. Galactique, même. À un petit détail près, qui à vrai dire est insignifiant...

— Tu veux dire que je ne sais jouer d'aucun instrument, déduisit Sam.

— Tout juste.

— Aucune importance, rétorqua Sam avec un geste dédaigneux. Attends un peu et tu vas voir ce que tu vas voir – ou plutôt, tu vas entendre, espèce de vieux crabe.

Daniel devait souvent se rappeler ces paroles de son fils – plus souvent qu'il ne l'aurait voulu, même. Jour après jour, et jusque tard dans la nuit, la maison se remplissait de sons nouveaux provenant de la chambre de Sam. Ils allaient du martèlement sourd de la grosse caisse au tintement clair des cymbales, en passant par le crépitement de mitrailleuse du tambour à timbre.

Sam s'adonnait entièrement à sa nouvelle passion : la batterie. Daniel suivait ses progrès jusque tard le soir, lorsqu'il passait en pyjama devant la porte de sa chambre.

Entre-temps, les préparatifs de Noël se poursuivaient à travers la ville. Les arbres de Noël se multipliaient dans les vitrines et aux fenêtres des appartements, y compris au 10, Downing Street et à Trafalgar Square.

À Fairtrade, Sarah avait posé sur son bureau un arbre de Noël miniature qu'elle avait orné de minuscules bougies.

Le terminal d'arrivée de l'aéroport de Madison, dans le Wisconsin, fourmillait d'activité. Tandis que Colin Frissell récupérait sa valise sur le tapis roulant et se frayait un chemin à travers la foule compacte qui se pressait dans le hall, on était en train d'y installer à cet instant précis un immense arbre de Noël. Les haut-parleurs de l'aéroport diffusaient un programme de radio : « C'est la semaine de Noël sur Radio KWNS ! » modulait la voix de baryton du présentateur aux quatre coins de l'aéroport. « Et voici une chanson pour nos grand-mères, une chanson qui, aux dernières nouvelles, décolle en flèche au hit-parade de la vieille Angleterre, n'est-ce pas merveilleux ? Eh bien oui, c'est ce bon vieux Billy Mack, l'ex-héroïnomane devenu héros du rock... »

La chanson de Billy dans l'oreille, Colin sortit de l'aéroport et s'engouffra dans un taxi garé devant la porte.

— Déposez-moi devant un bar, dit-il au chauffeur.

— Quel genre de bar ? demanda le chauffeur.

— N'importe lequel, répondit Colin, un de ces bars comme on en trouve à travers toute l'Amérique.

— Rien de trop sélect, alors ?

— Non, n'importe quel bar, n'importe où.

— Vous venez d'Angleterre ? demanda le conducteur en dévisageant Colin dans le miroir avant.

— Oui, mais restez poli.

Le chauffeur sourit et démarra sans répondre. Madison n'était plus qu'une gigantesque illumination de Noël. Même les maisons rivalisaient entre elles pour créer les plus belles illuminations. Certains bungalows disparaissaient sous les guirlandes, les fioritures et les figurines aux couleurs vives. Il y avait également des pères Noël éclairés sur les pelouses des maisons, des bonshommes lumineux sur les toits et des « Joyeux Noël » en gros caractères partout où le regard pouvait se poser.

Le bar devant lequel le chauffeur de taxi déposa Colin était aussi banal que celui-ci l'avait désiré.

— Parfait, dit-il avant de remercier le chauffeur en le gratifiant d'un généreux pourboire.

Le chauffeur déposa la valise et le sac de Colin devant l'entrée du bar. L'intérieur ressemblait à tous les décors de bar de tous les *road movies* américains que Colin avait pu voir dans toute son existence : un comptoir démesurément long devant lequel s'alignaient des tabourets de bar rembourrés au revêtement plastique et, un peu à l'écart, des tables dans des box. Ces derniers étaient si étroits qu'il fallait se plier comme un couteau suisse pour réussir à s'asseoir. Colin se hissa sur un tabouret proche de l'entrée.

— Qu'est-ce que ça sera ? lui demanda le barman.

— Une Budweiser, s'il vous plaît, répondit Colin.

— Une Bud... ça roule ! dit le barman.

— Vous arrivez d'Angleterre ? demanda une voix féminine surgie du néant.

Colin pivota sur son tabouret. La surprise d'un million gagné au loto n'était rien en comparaison de l'allégresse qui le submergea soudain.

Dans un box, à l'angle de la salle, était assise une créature de rêve, la plus belle blonde qu'il ait vue de sa vie. Elle ressemblait trait pour trait à son actrice préférée.

— Oui, répondit-il fébrilement. J'arrive tout droit de... Basildon.

— Cool ! fit-elle, enthousiaste, et elle appela : Jeannie !

De l'ombre du box surgit son amie, une autre créature de rêve aux cheveux noirs. Elle ressemblait trait pour trait au numéro deux sur la liste des stars favorites de Colin.

— Je te présente... commença la star numéro un.

— ... Colin, acheva-t-il précipitamment. Colin Frissell.

— C'est Colin, expliqua la star numéro un.

— Très cool, comme nom, dit la star numéro deux d'un air connaisseur. Moi, c'est Jeannie.

— Il arrive d'Angleterre, poursuivit sa blonde amie.

— Tout juste, confirma Colin.

— Attends un peu que Carole Ann débarque, reprit Jeannie, elle est dingue des petits Anglais.

Comme sur un signal, la porte du bar s'ouvrit et une troisième créature de rêve fit son entrée. Elle était brune et d'une beauté aussi stupéfiante que les deux autres.

— Hé, Carole Ann ! cria la blonde. Je te présente Colin. Il arrive tout droit d'Angleterre.

— Poussez-vous, les filles, lança joyeusement Carole Ann. À moi de jouer !

Tandis que ses amies prenaient place à gauche de leur découverte anglaise, elle surgit à sa droite en susurrant un : « Salut beau gosse ! »

Le visage de Colin s'épanouit en un sourire extatique tandis que les trois beautés l'encerclaient. Quelqu'un mit le juke-box en marche et un joyeux chant de Noël s'éleva dans la salle.

Lorsqu'il fit irruption dans l'entrée de son appartement, Harry avait l'air éreinté. Karen l'aida à retirer son manteau.

— Pourrais-tu m'expliquer pourquoi tu arrives encore en retard ? demanda-t-elle sur un ton de reproche.

— Dieu du ciel ! fit-il, puis, avec un clin d'œil : Un homme n'a-t-il pas le droit d'avoir ses secrets ?

Karen refusa de se laisser attendrir.

— Dépêche-toi, s'il te plaît, dit-elle. Ça fait des heures que nous attendons. C'est l'avant-avant-première.

Harry se hâta vers le salon pendant qu'elle accrochait son manteau. Au contact de l'une des poches, elle sentit quelque chose d'anguleux, qu'elle retira. C'était une petite boîte. Karen ne put résister à l'impulsion de l'ouvrir. Elle sourit, émue, en découvrant une chaînette délicatement travaillée avec un cœur en or sur un lit de velours sombre. Elle referma précipitamment la boîte et la remit dans la poche du manteau.

Elle se rendit au salon où un homard et un ange attendaient le signal pour entrer en scène. Sous ses pinces, sa tête hérissée d'antennes et sa carapace de crustacé, le homard portait un justaucorps rose. L'ange avait une expression maussade dans sa robe blanche ondoyante surmontée de grandes ailes cotonneuses. Harry avait pris place dans un fauteuil. Les mains croisées sur sa boucle de ceinturon, il attendait avec impatience le début de la représentation.

— Bon, c'est parti, fit Karen en ouvrant un manuel scolaire, et elle se mit à lire : « Par une nuit d'orage, un grand homard rose s'approchait d'un logis de l'antique Bethléem... »

L'atmosphère de Noël imprégnait même le chaotique métro londonien. Lorsqu'il vit monter un groupe de voyageurs dont les walkmans diffusaient un chant de Noël à plein volume, Jamie n'y tint plus. C'étaient trois types vêtus de sweat-shirts à capuche. Ils dansaient sur cette musique, aussi joyeux que si le métro traversait Lisbonne ou Rio de Janeiro, et non la froide et pluvieuse cité de Londres.

Jamie, qui était également coiffé d'un walkman, se joignit aux danseurs et tandis que ces derniers reprenaient en chœur les paroles de la chanson, il hurla ce qu'il entendait dans son walkman : « *Boa noite. Boa noite*[1]. »

En face du siège qu'il venait de quitter s'entassaient des paquets cadeaux aux couleurs vives.

Pour l'homme qui logeait seul au 10, Downing Street, cette soirée marquait la fin d'une longue journée. Le Premier Ministre marchait dans les couloirs vides du bâtiment, les traits tirés et l'air épuisé.

L'intérieur de l'immeuble était décoré pour Noël, mais personne n'allait passer la soirée du réveillon avec lui. Il était seul dans un grand appartement et il ressentait cette solitude. Il monta un escalier et ses pas résonnèrent dans un autre couloir.

Finalement, il se réfugia devant un poste de télévision, sur un canapé, dans l'angle d'une pièce beaucoup trop grande. Il tria les dossiers et les documents posés sur la table devant lui et alluma la télévision.

Ce soir-là, Billy Mack était l'invité du « Parkinson Show ».

— Ça doit être un moment palpitant pour toi, lui disait Michaël Parkinson, que les spectateurs surnommaient affectueusement Parky. C'est fantastique de se battre pour la première place au hit-parade de Noël, non ? Dis-moi, comment ça se présente ?

— Très mal, avoua Billy. Westlife me devance, mais j'espère un coup de vent favorable de dernière minute. Et si je décroche la timbale, je m'engage solennellement ici même à chanter complètement à poil le soir du réveillon !

---

1. Bonne nuit, en portugais.

— Tu parles sérieusement ? demanda Parky en le regardant avec de grands yeux.

— Bien sûr que je parle sérieusement, répondit Billy avec un sourire salace. Tu veux un aperçu, espèce de vieux dragueur ? demanda-t-il en commençant à déboutonner son pantalon.

Parky hurla de rire.

Le Premier Ministre, lui aussi, éclata de rire devant son poste de télévision.

Judy et John étaient maintenant dans une élégante petite salle de bains qui faisait partie du studio, comme tous les décors dans lesquels ils avaient tourné les scènes d'intérieur.

Cette fois-ci, ils mimaient un rapport oral. Un électricien vint placer un éclairage supplémentaire à côté de Judy, qui était agenouillée devant John.

— Excellent, dit Tony, parfait. On ne bouge plus.

— Écoute, dis-moi si j'insiste trop, dit John à Judy, mais ça te plairait d'aller prendre un verre pour Noël ? En tout bien tout honneur, évidemment. Après, on pourrait aller voir un film, ou faire autre chose. Je veux dire… tu n'es pas obligée si tu n'as pas envie.

— Mais si, répondit Judy, ce serait merveilleux.

— Fantastique, exulta John.

Après que Tony leur eut donné ses instructions pour le tournage de la scène suivante, Judy s'assit au-dessus du visage de John.

— C'est vraiment super, reprit John. En général, je suis très timide pour ce genre de choses. Je mets toujours un temps fou à me jeter à l'eau, alors merci, vraiment. C'est vraiment… super.

— Mais non, répondit Judy, c'est moi qui te remercie d'avoir pris l'initiative. Moi aussi, je suis du genre timide. Si le type ne fait pas le premier pas, eh bien, le pas n'est jamais franchi.

— Je comprends ce que tu veux dire, fit John d'un air entendu.

— Et maintenant, lança Tony, rejette-toi en arrière pour l'orgasme, Judy !

Un peu plus tard, le même soir, dans le bar de Madison, Wisconsin, où se trouvait Colin, le juke-box jouait encore un air de Noël. Les trois sosies de stars de cinéma se pressaient autour de leur Anglais, la main posée sur ses larges épaules.

— Bon, soupira Colin, il se fait vraiment tard. Je suppose qu'il est temps de prendre congé.

— Quel dommage, dit Carole Ann. Où habites-tu donc ?

— Oh, je ne sais pas encore. Je pense que je vais me pointer dans un motel, comme dans les films.

— Vraiment cool ! s'exclama la blonde de rêve.

— Écoute, dit Jeannie, je sais que c'est aller un peu vite alors que nous venons juste de faire connaissance, mais est-ce que ça te dirait de dormir chez nous ?

— Euh… oui… eh bien, je crois… bafouilla Colin. Enfin, si ça ne vous dérange pas trop…

— Mon Dieu, non ! répondit Carole Ann en levant les yeux au ciel. Au contraire, ce serait un plaisir. Le seul inconvénient, c'est que…

— Oui ? demanda Colin lorsqu'elle s'interrompit.

— Eh bien… commença Carole Ann avec hésitation.

La belle blonde livra l'explication avec un effort visible.

— Le seul inconvénient, dit-elle, c'est que nous ne roulons pas précisément sur l'or. Nous avons seulement un lit à deux places, alors il faudra que tu le partages avec nous trois.

— Et par cette nuit très chaude, poursuivit Carole Ann, on risque d'être à l'étroit et de transpirer.

Oh, ça ne me gêne pas du tout, répliqua Colin, dont le cœur battait la chamade.

— Ah, et il y a autre chose... reprit Carole Ann.

— Quoi donc ? demanda Colin en la regardant d'un air interrogateur.

— Eh bien, ce qui complique un peu l'affaire, c'est que tu ne connais pas encore Harriet.

— Quoi, vous êtes quatre ? demanda Colin.

Les yeux lui sortaient de la tête.

— Oui, mais elle te plaira sûrement. C'est la plus jolie de nous quatre, fit Carole Ann avec une mimique expressive.

— Vraiment ? Pas possible ! s'exclama Colin. Loué soit le Seigneur !

Le Premier Ministre était toujours plongé dans ses dossiers. Il portait à présent une robe de chambre, mais il ne se sentait pas plus à l'aise pour autant. Son humeur demeurait mélancolique. C'est alors qu'il aperçut parmi ses papiers un paquet de cartes de Noël. L'air maussade, il l'examina. Sa secrétaire y avait collé un post-it sur lequel elle avait écrit au feutre rouge : « Quelques morceaux choisis : lisez-les. »

David se demanda s'il devait suivre son conseil. Finalement, il se ravisa, reposa le paquet et se replongea dans son travail.

Karen était déjà en robe de chambre lorsqu'elle déposa un cadeau supplémentaire sous l'arbre de Noël. Elle remarqua la présence d'un paquet cadeau carré à l'emballage doré. Elle sourit et un sentiment de sécurité et de contentement l'envahit.

Le petit paquet doré brillait comme le Saint-Graal. Une carte de vœux y était collée. Karen l'ouvrit et reconnut l'écriture familière de son mari : « Pardonne-moi d'être un affreux râleur. Joyeux Noël, ma chérie. Ton méchant Harry. »

Le paquet avait exactement le format de la boîte contenant la chaînette dans la poche du manteau de Harry. Karen le pressa contre son cœur et ferma les yeux. Elle avait rarement attendu Noël avec autant d'impatience.

Dans la maison des parents de Jamie régnait une atmosphère fébrile. Huit membres de la famille étaient déjà réunis. Lorsque la porte s'ouvrit, le silence se fit soudain. La personne qui venait d'entrer disparaissait littéralement derrière les paquets cadeaux.

— Regardez ! cria la sœur de Jamie à ses enfants. C'est l'oncle Jamie !

Ils se précipitèrent sur lui avec des cris de joie. Les innombrables paquets de toutes tailles dégringolèrent et roulèrent à terre. Enfants et adultes se pendirent au cou de Jamie – qui faillit s'effondrer sous le choc – et l'embrassèrent.

Il rit et se secoua pour se libérer des enfants.

— Merveilleux ! s'exclama-t-il. C'est fantastique de vous revoir tous ! Malheureusement... je dois repartir tout de suite.

Tous le regardèrent comme s'ils avaient entendu parler un mort.

— Pardon ? articula sa mère.

— Désolé, répondit-il, mais un homme doit tenir ses engagements.

Et sur ces fortes paroles, il tourna les talons et sortit en courant.

Sarah passait également le soir de Noël avec son frère à l'hôpital. Ils étaient de nouveau assis face à face dans la nudité banale de la pièce.

— Tu te souviens de papa et du pudding de Noël ? demanda Sarah.

— Non, répondit Michaël.

— À chaque Noël, maman découpait le pudding et le servait comme il se doit. Et, à chaque fois, elle disait que c'était une merveilleuse tradition anglaise, mais papa n'en a jamais mangé un seul morceau.

Michaël dévisagea sa sœur en silence. Son visage blême était inexpressif. Il ne répondit qu'après un moment.

— C'était la seule fois de l'année où tu débarrassais la table de bon cœur parce que l'émission « Top of the Pops » passait à la télé et que tu pouvais la regarder dans la cuisine.

— C'est vrai, dit Sarah en riant. Je n'en finissais plus avec la vaisselle. C'était mon activité préférée pour un soir dans l'année.

Alors qu'il contemplait sa sœur, le visage de Michaël semblait taillé dans la pierre. Puis, brusquement, un sourire presque imperceptible se forma sur ses lèvres.

— Maintenant que j'y pense, reprit Sarah, maman était une cuisinière épouvantable, non ?

— Oui, répondit Michaël. Avec elle, les conserves, c'était le summum de la gastronomie. (Il réfléchit un instant, la regarda fixement et le sourire réapparut.) Comment ça va, Blondie ? demanda-t-il doucement.

— Très bien, répondit Sarah. Tout va très bien.

Il hocha la tête.

— Moi, je suis en enfer, dit-il.

— Je sais, fit Sarah en lui prenant la main. Je sais, mon chéri.

Dans l'appartement de Mark, la télévision était encore allumée malgré l'heure tardive. *Noël Blanc* passait ce soir-là et le film était presque terminé. Les acteurs vêtus de rouge et de blanc pour le soir de Noël chantaient la chanson titre du film et de la vraie neige tombait à l'arrière-plan. Rosemary Clooney ouvrait son cadeau sous un grand arbre de Noël et Bing Crosby la regardait avec un sourire sous son bonnet de père Noël.

Mark éteignit le poste. « Ça suffit comme ça », murmura-t-il avant d'allumer la chaîne stéréo.

Dans un autre appartement de Londres, au même moment, Jamie finissait d'emballer les quelques affaires dont il avait besoin. Il jeta un manteau sur ses épaules, empoigna son petit sac de voyage et se précipita hors de chez lui.

Dehors, il eut la chance de trouver immédiatement un taxi. Hors d'haleine, il se jeta à l'arrière de la voiture noire et dit : « À Heathrow, s'il vous plaît. »

Dans la chambre de jeune fille aux tons pastel d'un appartement américain résonnait une musique douce aux accents lyriques. Allongé sur le lit, les bras croisés derrière la tête, Colin se demandait encore s'il ne rêvait pas.

Devant la fenêtre éclairée par la lune se découpait en ombre chinoise la silhouette d'une femme qui enlevait un T-shirt beaucoup trop étroit pour elle. Au pied du lit, deux autres femmes se déshabillaient également. Leurs silhouettes étaient à elles seules d'une beauté à couper le souffle. Colin ferma les yeux, puis les rouvrit. Il se pinça la cuisse jusqu'au sang. À chaque fois, le spectacle qu'il avait devant les yeux demeura inchangé. Ce n'était donc pas un rêve.

Avant de pouvoir se remettre de cette constatation, il entendit la porte d'entrée se refermer. Des pas résonnèrent dans l'escalier et s'approchèrent de la chambre, dont la porte s'ouvrit.

La femme qui entra avait des cheveux bouclés tombant sur les épaules. D'après la description qu'on lui en avait faite, c'était Harriet.

— Salut les filles ! s'exclama-t-elle. Me revoilà !

Confortablement installés au salon, Daniel et Sam regardaient la romantique et spectaculaire scène finale du film *Officier et gentleman*, où le héros prenait dans ses bras la femme aimée pour l'emporter hors de l'usine aux accents de la chanson « *Up Where We Belong* ».

— C'est exactement ce que tu devrais faire, commenta Daniel, mais s'est-elle au moins aperçue de ton existence ?

— Non, répondit Sam, mais tu sais comment ça se passe dans toutes les histoires d'amour : ils ne sont réunis qu'à la fin.

— Naturellement, approuva Daniel.

— À propos, poursuivit gravement Sam, j'ai mauvaise conscience : je ne t'ai jamais interrogé sur ta vie amoureuse.

— Oh, fit Daniel, comme tu peux l'imaginer, c'est de l'histoire ancienne. Sauf si Nicole Kidman me passe un coup de fil, reprit-il avec un sourire enjoué. Si ça devait arriver, je te prierais de vider les lieux sur l'heure, espèce de petit salopard d'orphelin de mère.

Le lendemain matin à sept heures moins dix, on pouvait entendre le programme de la très populaire station Radio One sous la plupart des toits de Londres. Dans le reste du pays également, on écoutait le présentateur parler depuis la capitale.

« En ce pluvieux soir de Noël, chers auditeurs, telle est la question cruciale : qui va décrocher la place de numéro un au hit-parade ? Le groupe Westlife ou le héros du jour, je veux dire Billy Mack, qui a fait un *come-back* inattendu pour Noël ? Eh bien, nous avons devant nous les noms de ces champions, et voici le premier des deux… qui est le numéro deux au hit-parade de ce Noël… (Après une longue pause destinée à tenir l'auditeur en haleine, il annonça comme un présentateur sur un ring :) Voici… Westlife ! »

Dans la salle de réunion bondée de la maison de production, des cris d'allégresse s'élevèrent. Comme prises de folie, toutes les personnes présentes se mirent à hurler, exulter, danser, sauter et applaudir.

— C'est nous les meilleurs ! hurla Joe Alstyne.

— C'est moi le meilleur ! hurla Billy encore plus fort.

— C'est toi le meilleur ! confirma Joe.

Un téléphone sonna et le silence se fit. Comme hypnotisés, tous les regards se tournèrent vers Billy, qui répondit.

— Salut, Billy ! claironna le présentateur de Radio One à l'autre bout de la ligne. Notre émission est retransmise en direct dans tout le pays. Vous êtes le numéro un au hit-parade. Quelles sont vos impressions ?

— Eh bien, répondit Billy sur un ton traînant et en faisant la moue… comme vous le savez, je suis un fan de Westlife. La pensée que ces petits gars n'ont pas décroché la première place… me fend le cœur, vraiment.

— Et vos vraies impressions, Billy ?

— Qu'ils aillent se faire foutre. C'est moi le roi.

Joe Alstyne bondit en brandissant le poing.

— C'est lui le roi ! hurla-t-il, puis, sous les regards désapprobateurs de l'assistance, il se tassa sur lui-même, un peu honteux.

— Et comment allez-vous célébrer l'événement ? reprit le présentateur.

— Je ne sais pas encore, répondit Billy. Je pourrais, en vieux *loser* du rock, aller m'éclater avec mon gros manager, ou bien, dès que j'aurai raccroché, me retrouver invité toute la nuit à des fêtes plus déjantées les unes que les autres.

— Alors espérons pour vous que ce sera la deuxième option, répondit le présentateur. Et maintenant, voici le numéro un au hit-parade : « *Christmas is all around* » de Billy Mack !

— Doux Jésus, se lamenta Billy, encore cette merde ! J'étais comment ? demanda-t-il à son manager après avoir raccroché.

— C'est toi le roi de la Création, lança Joe en frappant dans ses mains. Toi, pas Jésus.

Surgissant de la foule, Gina s'approcha des deux hommes.

— Bill, dit-elle en lui tendant un téléphone portable, c'est pour toi !

Billy prit le téléphone.

— Salut, Elton ! fit-il. Bien sûr. Naturellement. Ça va de soi. Envoie une grosse bagnole et j'arrive. (Il appuya sur la touche du téléphone et jeta un regard autour de lui.) Mes enfants, en vérité, je vous le dis, ça va être une fête de Noël à tout casser !

Joe, l'air un peu perdu au milieu de la foule des nouveaux amis de la star, souriait jusqu'aux oreilles.

Peu après sept heures du matin, la veille de Noël, le Premier Ministre était toujours seul avec ses dossiers dans la grande salle du 10, Downing Street.

Pour la centième fois au moins, il déplaça la pile de classeurs et de brochures, et soudain, il vit le paquet de cartes de vœux. Il le prit sans enthousiasme et jeta un coup d'œil par la fenêtre. La pluie battait contre les vitres. C'était un matin sinistre.

Il défit l'élastique qui maintenait le paquet et lut les deux premières cartes. Elles étaient extraordinairement ennuyeuses. La signature de l'une d'elles était illisible.

La troisième carte lui fit l'effet d'un coup de tonnerre dans un ciel serein. Il se redressa dans son fauteuil, stupéfait. Le nom de l'expéditrice lui sauta aux yeux : Nathalie !

Comme hypnotisé, David lut les lignes qu'elle avait tracées.

« Monsieur le Premier Ministre et cher David,

Je vous souhaite un joyeux Noël et une heureuse nouvelle année. Je suis vraiment désolée de ce qui s'est passé. Ce fut un moment très pénible pour moi. Je vous présente mes excuses et je me sens d'autant plus stupide que (si l'on ne dit pas ces choses-là à Noël, quand le pourrait-on ?) je vous aime et serai éternellement vôtre.

Mille baisers.

Votre Nathalie. »

David posa la carte sur son bureau et fixa le vide. Puis il se ressaisit, reprit la carte et la relut. Il la reposa et contempla de nouveau le vide. Soudain, il se leva d'un bond et sortit de la pièce en courant. Il fonça dans le couloir, dévala l'escalier, traversa en trombe le hall d'entrée et ouvrit la porte. L'agent de sécurité posté à l'entrée lui jeta un regard surpris.

— Il me faut une voiture tout de suite, lui dit David.

Quelques minutes plus tard, l'agent l'accompagnait avec un parapluie et David montait dans une grande limousine noire escortée d'une voiture de police surmontée d'un gyrophare bleu. Un garde du corps prit place à l'arrière de la limousine, à côté de David.

— Conduisez-moi à Harris Street, dans le quartier de Wandsworth, ordonna David au chauffeur.

La voiture démarra comme sur du velours dans la nuit pluvieuse et, toujours escortée de la voiture de police, se dirigea vers le pont de Battersea.

Sur le pont d'à côté, une autre limousine, blanche celle-ci, traversait la Tamise. Les policiers connaissaient cette voiture de luxe et savaient qu'elle appartenait à Elton John. Assis à l'arrière, Billy Mack buvait du champagne.

Sur le pont suivant roulait l'une des innombrables Toyota de Londres. Son propriétaire, Mark Doherty, était au volant.

Dans la plupart des maisons de Londres, le réveillon battait son plein, comme chez les Trevor. Le moment d'ouvrir les cadeaux était venu. Karen, Harry et leurs enfants s'étaient réunis devant l'arbre de Noël. Karen adressa un clin d'œil à Harry.

— Eh bien, annonça-t-elle, ce soir, il n'y aura qu'un cadeau par personne. Qui a un cadeau pour papa ?

— Ouvre d'abord le tien, proposa Harry.

— Bonne idée, fit Karen avec une espièglerie enfantine. Je crois que je vais prendre... celui-là, dit-elle en tendant la main vers un petit paquet doré qu'elle savait être le cadeau de Harry.

Souriante, les yeux pétillants, elle commença à défaire l'emballage.

— Je n'ai malheureusement rien d'autre pour toi cette année, s'excusa Harry. Je n'ai pas eu beaucoup de temps pour faire des courses.

— Mais je suis sûre que tu as su en faire le meilleur usage, répondit joyeusement Karen.

Ôtant l'emballage doré, elle ouvrit lentement la boîte, comme si elle contenait un secret bien gardé.

La couverture d'un CD apparut.

Un CD de Joni Mitchell.

Karen ne parvint à se maîtriser qu'au prix d'un effort violent.

— Oh ! Ça alors ! s'exclama-t-elle en redoutant que sa voix tremblante ne la trahisse. (Puis, se ressaisissant, elle réussit même à prendre un air ravi.) Eh bien, quelle surprise !

— Je pensais bien que j'avais fait le bon choix, dit fièrement Harry.

— Oui, oui, répondit Karen en hochant la tête, c'est parfait !

— C'est merveilleux d'avoir une femme cultivée ! s'exclama Harry, admiratif.

— Euh, oui, fit Karen avec un rire gêné. Si ça ne vous fait rien, je vais vous laisser seuls un moment. C'est sûrement à cause de toute cette glace que j'ai mangée. Chéri, tu peux t'occuper des enfants ?

Lentement, avec le sourire, elle sortit de la pièce. Personne ne vit les larmes qui voilaient ses yeux.

Le cortège du Premier Ministre arriva à Wandsworth et tourna au coin d'une petite rue.

— C'est à quel numéro, monsieur ? demanda le chauffeur.

— C'est une bonne question, répliqua David. Je n'en ai pas la moindre idée. Nom de Dieu de nom de Dieu ! Ah, tant pis, arrêtez-vous là.

Il sortit de la voiture et alla sonner au numéro 1 de Harris Street. Son garde du corps l'attendait discrètement à cinq mètres de distance. Une vieille femme ouvrit.

— Bonsoir, dit aimablement David. Nathalie habite-t-elle ici ?

— Non, grommela la vieille femme.

— Bien, je vous remercie. Veuillez m'excuser pour le dérangement.

La vieille dame le regarda, les sourcils froncés, avec un air méfiant.

— N'êtes-vous pas le Premier Ministre ? demanda-t-elle.

— Euh, oui, en effet, répondit David, gêné. Je viens vous souhaiter un joyeux Noël. Ça fait partie de mes fonctions, à présent. J'espère qu'au Nouvel An, j'aurai pu voir tout le monde.

— C'est merveilleux ! s'exclama la maîtresse de maison, dont le visage s'éclaira.

Poursuivant son chemin, David alla sonner à la porte suivante. Les deux voitures et le garde du corps l'escortèrent avec la lenteur de circonstance et s'arrêtèrent à quelques mètres de lui.

Une fillette d'environ six ans ouvrit.

— Bonjour, lui dit David.

— Bonjour. Tu viens nous chanter des airs de Noël ? lui demanda l'enfant, pleine d'espoir.

— Non, répondit David.

— Oh, c'est vraiment dommage ! dit la fillette, l'air très déçu. Cette année, personne n'est venu chanter chez nous. Maman dit que d'habitude, il y a toujours des chanteurs à Noël.

Deux autres enfants à l'expression triste apparurent sur le seuil et regardèrent le Premier Ministre d'un air déçu.

— Bon, je pourrais peut-être... fit David, puis, après s'être éclairci la voix, il entonna : « *Good King Wenceslas looked out...* (D'un geste de la main, il fit signe au garde du corps de l'accompagner.)... *on the Feast of Stephen...* »

Après un rappel, le duo réussit à prendre congé des enfants dont les yeux brillaient. David sonna à la porte d'à côté. La jeune femme qui lui ouvrit était particulièrement jolie, mais à ses yeux, elle n'était même pas digne de cirer les chaussures de Nathalie. Il ignorait qu'il s'agissait de Mia Jermyn. Il supposa néanmoins que la fine chaînette et le cœur en or ornant son cou étaient un cadeau de Noël.

— Excusez-moi de vous déranger, dit-il, mais Nathalie habite-t-elle ici ?

— Hélas, non, répondit Mia en lui lançant un regard très sexy. Elle habite juste à côté.

— Merveilleux ! répliqua David, fou de joie.

Mia le scrutait du regard.

— Ne seriez-vous pas par hasard celui que je crois que vous êtes ? demanda-t-elle.

— Oui, en effet, je le crains, répondit-il. Je suis désolé que tout ne marche pas encore comme sur des roulettes. Les services de santé sont dans un état vraiment catastrophique, mais j'espère pouvoir y remédier dès l'an prochain.

Mia ne trouva rien à répondre. Elle le suivit du regard tandis qu'il se dirigeait vers la maison voisine. Ses yeux s'agrandirent à la vue du garde du corps et des deux voitures, preuve tangible qu'elle n'avait pas rêvé.

David hésita encore un instant avant de presser le bouton de la sonnette, mais il était exposé aux regards des curieux et le manque d'assurance était bien la dernière chose qu'il pouvait se permettre en cet instant.

La porte s'ouvrit aussitôt.

Plusieurs regards se braquèrent sur lui, stupéfaits. David ne l'était pas moins. Visiblement, toute la famille s'était rassemblée dans l'entrée – sept personnes au moins, prêtes à sortir, emmitouflées dans d'épais manteaux d'hiver, équipées de gants et d'écharpes.

Seule Nathalie n'était pas là.

— Bonsoir ! dit David à l'ensemble des visages qui le fixaient. Nathalie est-elle là ?

Avant que l'un d'entre eux ait pu répondre, elle arriva d'une pièce voisine.

— Où est ce foutu manteau ? pestait-elle. (Elle aperçut alors le visiteur et rosit.) Oh, bonjour, dit-elle.

— Bonjour, répondit-il, sans savoir comment poursuivre la conversation.

Nathalie semblait également prise au dépourvu. Elle coupa court à cet instant de gêne en lui présentant sa famille.

— Je vous présente ma mère, mon père, mon oncle Tony et ma tante Glynne…

— Je suis enchanté de faire votre connaissance, dit David.

— Et voici le Premier Ministre, acheva Nathalie en désignant David.

— Oui, ma chérie, nous l'avions compris, répondit sa mère.

Quelques enfants couraient dans tous les sens.

— Nous sommes malheureusement déjà en retard, dit Nathalie en regardant David.

— L'école a organisé un concert pour Noël, expliqua la mère. Voyez-vous, monsieur, c'est la première fois que toutes les écoles du quartier organisent quelque chose ensemble. Même l'école de Saint Basil y participe, alors que d'habitude…

— Maman, épargne-nous les détails, l'interrompit Nathalie.

— Enfin, quoi qu'il en soit, intervint le père, que pouvons-nous faire pour vous ?

— Eh bien… commença David d'un air contrit, j'aurais besoin de m'entretenir avec Nathalie au sujet de, euh… d'affaires d'État.

— Oui, bien sûr, pas de problème, répondit le père, puis il consulta sa montre. Eh bien, peut-être que tu pourras quand même nous rejoindre plus tard, bouboule… euh, Nathalie, rectifia-t-il tandis que sa fille lui envoyait son coude dans les côtes.

— Non, protesta David, je ne voudrais pas vous faire manquer ce concert, Nathalie.

— Oh, ça ne fait rien, répondit Nathalie.

— Mais Keith va être très déçu de ne pas te voir, répliqua sa mère avec un regard désapprobateur.

Nathalie fit la sourde oreille.

— Non, vraiment, insista-t-elle, ça ne fait rien.

— Il m'a fallu des mois pour confectionner ce déguisement de pieuvre, grommela la mère. Huit bras, ce n'est pas rien.

— Écoutez, proposa David à Nathalie, je pourrais vous déposer là-bas et nous parlerons en route.

— D'accord, répondit joyeusement Nathalie en lui retournant son regard reconnaissant.

Karen s'était retirée dans la chambre à coucher. Assise au bord du lit, tête baissée, les larmes aux yeux, elle écoutait le premier morceau du CD de Joni Mitchell. Une larme roula sur sa joue, qu'elle essuya d'un revers de main. Elle savait qu'elle aurait besoin d'une minute, pas plus, pour se ressaisir et reprendre le rôle de femme au foyer et de mère modèle qu'elle était censée jouer en ce soir de Noël.

C'était son sort, et elle l'avait librement choisi. Elle ne voulait pas se plaindre. Et elle ne voulait surtout pas que ses enfants aient à souffrir de cette situation.

Avant même que la minute ne fût écoulée, elle se leva, redressa les épaules et examina son visage dans le miroir de la coiffeuse. Elle essaya de sourire et y parvint. Après avoir rectifié son maquillage, elle retourna au salon, vers les étreintes, les baisers et les rires d'enfants qui faisaient partie intégrante de sa vie – avec un cœur brisé.

— Allons, mes chéris, dit-elle, dépêchons-nous, sinon nous allons arriver en retard !

Nathalie, l'un de ses frères et le garde du corps étaient assis dans la limousine avec le Premier Ministre. Le reste de la famille s'entassait dans la voiture de police.

David était heureux de ce que Nathalie fut du moins assise à côté de lui.

— Merci pour votre carte de vœux, lui dit-il.

— Oh, ça m'a fait plaisir de l'écrire ! Je pensais... (Nathalie hésita, réfléchit un instant, puis elle lui ouvrit son cœur.) Je suis désolée de ce qui s'est passé ce jour-là. Je veux dire... quand je suis entrée dans la pièce, il s'est jeté à ma tête. J'étais stupéfaite et je suis restée plantée là, comme une idiote. Après tout, c'est le Président des États-Unis, mais il ne s'est rien passé, je vous le jure. Ensuite, je me suis sentie très malheureuse parce que... c'est vous que je...

— Ça y est, on est arrivés ! s'écria son frère.

Le chauffeur freina et la voiture de patrouille s'arrêta également.

— Je crois que je ferais mieux de m'en aller maintenant, chuchota David. Personne n'a besoin d'un politicien ennuyeux qui vole leur soirée aux enfants.

— Devez-vous vraiment partir ? demanda Nathalie, l'air déçu.

— Oui, même si cela me rend très triste d'avoir à le faire maintenant.

— Attendez ! s'exclama-t-elle. Accordez-moi juste une seconde !

Sans lui laisser le temps de répondre, elle sauta de la voiture.

Le parking de l'école était déjà bondé. Les voitures arrivaient et se garaient sur les aires de stationnement. Des adultes emmitouflés en sortaient et se dirigeaient vers l'entrée de l'école avec des enfants aux déguisements informes et colorés.

Daniel et Sam étaient au milieu de la foule. La main de Sam se crispait sur des baguettes de batteur et son visage tendu avait une expression résolue.

John et Judy, les deux doublures, se dirigeaient également vers le bâtiment de l'école. John présentait sa partenaire à sa famille, qui comptait un petit neveu.

— Il a fait tout un mystère de vos relations, dit le frère de John en regardant Judy. Comment vous êtes-vous rencontrés ?

— Euh, eh bien... répondit Judy en échangeant un regard avec John, je crois que ça aussi, ça restera un mystère.

Nathalie retourna à la limousine du Premier Ministre et se pencha vers la vitre arrière.

— Venez, nous pourrons tout regarder des coulisses ! lui dit-elle.

— D'accord, approuva David. Terry, je serai de retour dans une heure, lança-t-il au chauffeur.

David sortit de la voiture, escorté de son garde du corps. Lorsque Nathalie s'approcha de lui, il s'arrêta.

— Il est très important que personne ne nous voie, lui dit-il. Ceci doit rester une visite privée.

— Ne vous inquiétez pas, le rassura Nathalie. C'était mon école. Je connais parfaitement les lieux.

Les mots de l'amour

Jamie guida sa voiture dans une petite rue pauvre de Marseille. Seuls quelques réverbères étaient allumés et de grands pans de trottoir étaient plongés dans l'obscurité. Jamie trouva néanmoins l'adresse sans difficulté. Il sortit de sa voiture, se dirigea d'un pas résolu vers la porte et sonna.

Un homme d'environ soixante ans lui ouvrit. Les traits les plus marquants de sa personne étaient une épaisse moustache noire et un ventre imposant. Il était vêtu uniquement d'un pantalon noir et d'un tricot de corps.

— *Boa tarde, senhor Barros,* dit Jamie dans son meilleur portugais. Je suis venu vous demander la main de votre fille. J'espère que vous me l'accorderez.

Le visage du senhor Barros s'illumina.

— Vous voulez épouser ma fille ? répéta-t-il, incrédule.

— Oui, je le veux, répondit Jamie comme s'il était déjà devant l'autel.

Le senhor Barros se détourna.

— Amène-toi en vitesse ! Il y a un homme pour toi ! lança-t-il vers le couloir.

Derrière eux, un rideau en plastique s'écarta. La jeune femme qui apparut était incroyablement grosse et ressemblait de manière étonnante au senhor Barros. Son seul point commun avec Aurélia était sa chevelure noire. Mais là aussi, la ressemblance demeurait lointaine, car les cheveux de la femme qui approchait en se dandinant étaient gras et raides.

— C'est elle, c'est Sophia, déclara le senhor Barros avant que Jamie ait pu objecter quoi que ce fût. Il veut t'épouser, dit-il à sa fille.

— Mais je ne le connais pas ! répondit Sophia.

— Ça ne fait rien, répondit le senhor Barros en secouant la tête. Plus tôt tu quitteras cette maison, mieux ça vaudra.

Sophia le dévisagea.

— Tu es prêt à me vendre à un parfait inconnu ? demanda-t-elle.

— Qui a parlé de vendre ? C'est moi qui lui donnerai de l'argent.

— Euh… excusez-moi, intervint Jamie, mais je parlais de votre autre fille, Aurélia.

— Oh, je suis désolé, je n'avais pas compris, répondit le senhor Barros, l'air penaud.

— Ça y est, j'y suis ! s'écria Sophia, soudain surexcitée. C'est sûrement cet Anglais dont elle me rebattait les oreilles !

Le senhor Barros ne parut pas l'avoir entendue.

— Aurélia n'est pas à la maison, expliqua-t-il. Elle travaille. Je vais vous conduire à son travail. Toi, tu restes ici, dit-il à sa fille.

— Oh non, se lamenta-t-elle. Au moins, ne fais pas de gaffe !

Dans les coulisses, tout était sens dessus dessous. Les déguisements volumineux et fragiles des acteurs provoquaient des encombrements. Karen, Harry et les enfants, qui étaient arrivés en retard, avançaient avec difficulté dans la cohue.

— Va t'installer dans la salle et garde-moi une place, lança Karen à Harry. Allez, dépêchez-vous un peu ! dit-elle aux enfants.

Tandis que Harry parvenait à se glisser dans un couloir menant aux rangées de fauteuils des spectateurs, Karen et les enfants bataillaient pour avancer.

Soudain, ils se retrouvèrent nez à nez avec le Premier Ministre et son escorte.

— David ! s'exclama Karen, puis elle lui tomba dans les bras et le serra contre son cœur.

L'intensité de son amour fraternel stupéfia David.

— Hé là, hé là, fit-il, déconcerté.

— Qu'est-ce que tu fabriques ici ? lui demanda-t-elle en se dégageant.

— Eh bien... euh... répondit-il avec un sourire gêné.

Karen secoua la tête, émerveillée.

— Je transmets toujours à la secrétaire de la secrétaire de ta secrétaire les rendez-vous importants pour la famille, mais je ne me souviens pas de t'avoir vu une seule fois en de telles circonstances.

— Eh bien, il se trouve que... commença-t-il. Enfin, je ne peux pas tout t'expliquer maintenant. Je ne voudrais pas qu'on remarque ma présence ici, alors il faut que j'aille me planquer pour regarder le spectacle. Bonne chance, Daisy ! Bonne chance, Bernie ! dit-il en caressant la tête du homard et celle de l'ange. J'ai entendu parler de ton devoir, Bernie ! Très amusant !

Bernie en resta bouche bée.

— Merci, monsieur, réussit-il finalement à articuler.

— Je dois dire que je n'ai jamais été aussi heureuse qu'en cet instant de voir mon idiot de grand frère, déclara Karen à David. Merci d'être là.

— Oh, ce n'est rien, répondit-il en réprimant un sourire, puis, conscient de négliger ses devoirs mondains, il fit les présentations. Voici Gavin et... Nathalie. C'est la responsable du ravitaillement au ministère.

Karen salua les deux autres.

— Méfiez-vous, il est capable de vous mettre le grappin dessus, glissa-t-elle à Nathalie. Vingt ans plus tôt, vous auriez été tout à fait son genre.

Ils éclatèrent tous de rire, y compris Gavin.

— Je ferai attention, répondit Nathalie. Ne vous faites pas d'idées simplement parce que c'est Noël, monsieur le Premier Ministre, dit-elle à David.

Ils rirent de plus belle. À l'instant même, la sonnerie retentit. La représentation allait commencer.

— Oh mon Dieu ! s'exclama Karen, nerveuse, ça démarre ! À plus tard !

— Peut-être, répondit David.

Karen le serra de nouveau dans ses bras.

— Merci, monsieur le Premier Ministre, lui chuchota-t-elle à l'oreille.

Il fronça les sourcils, intrigué, et il avait encore cette expression lorsque Nathalie l'emmena derrière la scène, dans un recoin poussiéreux où une multitude de cordes et de palans pendaient du plafond.

À la tombée de la nuit, le senhor Barros et sa fille Sophia cheminaient avec Jamie dans les rues de Marseille. Sophia avait catégoriquement refusé de rester à la maison. Comme le temps était doux, de nombreux habitants traînaient dehors.

— Tu ferais mieux de ne pas dire oui, père, haleta Sophia, qui avait peine à suivre les deux hommes.

La réponse du père retentit comme un grondement de tonnerre.

— Ferme-la un peu, Miss Gros Tas 2003 !

Lorsqu'ils passèrent devant toute une famille assise sur des chaises devant sa maison, Sophia sauta sur l'occasion.

— Notre père va vendre Aurélia comme esclave à cet Anglais ! cria-t-elle en gesticulant.

Stupéfaits, les membres de la famille se levèrent et se précipitèrent à la suite de Barros et de son futur esclavagiste de beau-fils. Il ne fallait en aucun cas manquer un pareil événement.

Sur la scène de l'école, la représentation atteignait son apogée. Tous les acteurs rassemblés chantaient en désignant l'étoile au-dessus de Jésus la vieille chanson de Perry Como : « *Catch a falling star and put it in your pocket...* »

Le point de mire était l'enfant Jésus dans son berceau, encadré de Marie, Joseph et trois anges placés en demi-cercle à la tête du berceau. Deux des anges avaient l'air normaux, tandis que l'affreux Bernie ressemblait plutôt à un rappeur coiffé d'une auréole. Le reste de la scène était occupé par des vaches, des moutons et une quantité d'animaux marins : homards, seiches, pingouins, une pieuvre, une baleine bleue et un groupe de dauphins.

Personne n'avait remarqué la présence de Nathalie et du Premier Ministre derrière la scène. Refrénant leur excitation, tous deux suivaient la représentation depuis les coulisses.

Le chant s'acheva, salué par un tonnerre d'applaudissements. Karen et M. Trench, le professeur d'éducation religieuse, montèrent sur la scène et prirent place parmi les acteurs alignés. Karen attendit la fin des applaudissements pour prendre la parole.

— Merci beaucoup, dit-elle enfin. Avant le finale, j'aimerais, au nom de tous les parents, exprimer à notre directrice, Mme Monroe, nos condoléances, ainsi que notre profonde sympathie. Nous trouvons très courageux de sa part d'être parmi nous ce soir, malgré la perte qu'elle vient de subir. Géraldine était une femme merveilleuse et les chagrins sont toujours plus douloureux à porter au moment de Noël...

Le regard de Karen errait à travers les rangées de spectateurs. Mme Monroe était assise au premier rang, les yeux dissimulés derrière des lunettes noires. Elle fit un signe de tête poli en guise de remerciement. Non loin d'elle était assis Harry, la raison du chagrin de Karen.

— Et maintenant, voici le clou de la soirée, déclara-t-elle avant de passer la parole à M. Trench.

— Oui, enchaîna-t-il, les trois classes supérieures de Saint Joseph vont maintenant vous interpréter leur air de Noël préféré. Veuillez accueillir la chanteuse vedette : Joanna Anderson...

Dans la salle, Daniel Gilmore leva les sourcils, dans l'expectative. C'était donc la Joanna de Sam.

— ... accompagnée de sa mère, la célèbre Jane Anderson, poursuivit M. Trench. Quelques autres élèves du collège ont décidé de participer, alors nous vous demandons de leur pardonner leurs offenses... Merci à tous.

Après une nouvelle série d'applaudissements, le silence se fit. La musique s'éleva dans l'obscurité complète, puis on entendit le tintement de clochettes de Noël. Le rond lumineux d'un projecteur éclaira la scène et la chanteuse s'avança.

Joanna était une ravissante jeune fille à la peau sombre – un Michael Jackson au féminin. Dans un prélude lent, mais chargé d'une tension que l'on devinait explosive, elle se révéla être une sorte de condensé de Whitney Houston et de Mariah Carey. Et les paroles qu'elle entonnait donnaient le frisson à l'assistance.

« *I don't want a lot for Christmas...* chantait-elle. Je ne veux pas grand-chose pour Noël. Peu m'importent les cadeaux sous le sapin de Noël. Je ne veux que toi... pour moi seule, plus que tu ne pourrais l'imaginer. Laisse mon vœu devenir réalité, car pour Noël, je ne veux rien d'autre que toi... »

La chanson émut Carla Monroe aux larmes. Elle pleurait sans chercher à retenir ses larmes ni les essuyer. Elle savait que ceux qui l'entouraient partageaient ses sentiments.

Les paroles de la chanson se modifièrent : à présent, Joanna chantait « *All I want for Christmas is you* », la version originale interprétée par Mariah Carey. Le public était fasciné et tous les regards rivés sur cette chanteuse jeune, belle et talentueuse.

Les musiciens ne rencontraient pas moins de succès. Au piano, l'affreux Bernie, enfin souriant, portait à présent un T-shirt sur lequel on pouvait lire l'inscription « Hell's Angel ». À la batterie, Sam avait adopté un rythme monocorde qui rappelait de manière frappante le jeu de Phil Spector. Il fit sensation avec un solo durant lequel il produisit des riffs époustouflants. Daniel était fier de son beau-fils. Lorsqu'il croisa son regard, il leva le pouce pour lui signifier qu'il avait trouvé la femme idéale. Sam acquiesça avec un sourire, empli d'une joie secrète.

La femme imposante qui, assistée de quelques professeurs, dirigeait le chœur était, à en juger par sa ressemblance avec Joanna, la mère de celle-ci. Le finale fut grandiose. Dans l'assistance, les parents ne tenaient plus en place. Le père de Joanna fut parmi les premiers à se lever. Daniel l'imita, suivi de Harry. Un instant plus tard, toute la salle était debout et les applaudissements ne semblaient pas vouloir prendre fin. John et Judy étaient les plus joyeux. Ils dansaient dans l'allée en rythme avec la musique. Dans les coulisses, le Premier Ministre s'était rapproché de la scène. Il avait suivi la performance spectaculaire de la jeune chanteuse à travers l'ouverture pratiquée dans le rideau. Lorsqu'il entendit quelqu'un s'approcher, il recula, toujours soucieux de passer inaperçu.

Dans la pénombre, il rencontra l'obstacle d'un tendre corps féminin. On ne l'avait encore jamais immobilisé d'une manière aussi troublante. C'était Nathalie, qui l'enlaçait. Malgré l'obscurité, leurs lèvres se trouvèrent sans difficulté.

Sur scène, Joanna entonnait le refrain final. À la dernière phrase, « Pour Noël, je ne veux rien d'autre que toi », elle désigna successivement d'un geste du bras plusieurs garçons du chœur, puis Sam. Ce dernier et Daniel retinrent leur souffle. Leur rêve semblait se réaliser. C'était le moment qu'ils avaient si longtemps attendu. Puis, au rythme des derniers accords qui se prolongeaient, Joanna désigna un autre garçon, puis un autre. Sam baissa la tête. Son rêve venait d'éclater comme une bulle de savon.

Dans la salle, les applaudissements retentissaient toujours. Sur scène, les jeunes artistes avaient eu le temps de s'habituer à l'enthousiasme du public. L'affreux Bernie observait son professeur d'éducation religieuse. Lorsque M. Trench se pencha pour saluer, il fut persuadé d'avoir vu monter dans son dos une étincelante bulle bleue. Il exulta.

Finalement, tandis que de la neige artificielle tombait sur la scène, le décor se leva, révélant un paysage d'hiver peint par les enfants. D'énormes lettres floconneuses formaient un « Joyeux Noël ! » gigantesque.

Néanmoins, le clou du spectacle était au milieu de la scène, devant le paysage hivernal. Enlacés et unis dans un baiser passionné, Nathalie et le Premier Ministre n'avaient pas remarqué qu'ils étaient à présent sous les feux de la rampe, face à un public ébahi. Les spectateurs surmontèrent bientôt leur étonnement et des flashs d'appareils photographiques illuminèrent le couple enlacé.

Nathalie et David semblèrent alors se réveiller en sursaut et se regardèrent, effrayés. Toujours dans les bras de Nathalie, David se tourna vers la scène et, se forçant à sourire, il esquissa une courbette.

En chemin, Sophia avait peu à peu rameuté une foule. Sous la conduite de son père, ils étaient plus de vingt en arrivant au port. Les lumières du soir se reflétaient sur l'eau et même les bateaux amarrés à quai étaient violemment illuminés.

Le senhor Barros se dirigea vers un restaurant. Il ouvrit la porte à la volée et la foule s'engouffra à l'intérieur. Derrière lui et l'Anglais si désireux de devenir son gendre, les nouveaux arrivants s'alignèrent le long du bar. À l'autre bout de la salle, un orchestre de trois musiciens jouait.

— Où est Aurélia ? demanda le senhor Barros au propriétaire du restaurant, debout derrière le bar.

Cet homme est venu demander sa main, dit-il en posant la sienne sur l'épaule de Jamie.

— Mais il ne peut pas faire ça ! répondit le patron, effaré. C'est notre meilleure serveuse !

— Ne soyez donc pas si égoïste, le sermonna le senhor Barros. Alors, où est-elle ?

— Peuh, fit l'autre avec un geste de mépris, après tout, qu'est-ce que ça peut me faire qu'elle continue à travailler ici ou non, cette petite garce !

Alors que le senhor Barros s'apprêtait à exprimer le fond de sa pensée, Aurélia apparut. Elle arrivait de la cuisine, chargée de trois assiettes pleines. Comme mue par une impulsion soudaine, elle fit trois pas, s'immobilisa, se retourna lentement et vit Jamie.

Elle se pétrifia sur place, l'air incrédule. Puis, comme en transe, elle déposa les assiettes sur une table inoccupée et repoussa les cheveux qui lui tombaient sur le front. C'était la première fois que Jamie la voyait maquillée. Elle était plus belle que dans son souvenir. Il eut l'impression que le sol se dérobait sous lui.

— *Boa noite*, Aurélia, dit-il comme dans un rêve.

— *Boa noite*, Jamie, répondit-elle de manière tout aussi cérémonieuse.

Ils furent alors incapables d'ajouter un mot.

— Parlez, voyons, monsieur, ordonna le senhor Barros.

Jamie acquiesça et avala péniblement sa salive, puis il fit sa demande, comme il s'y était cent fois préparé pendant ses cours du soir, dans un portugais qu'il croyait parfait.

— Splendide Aurélia, lui déclara-t-il, je suis venu dans une intention de te demander de m'épouser.

Je sais, je parais une personne folle parce que je te connais à peine. Mais pa-pa-parfois les choses sont tellement évidence qu'elles n'ont besoin de nulle preuve. Je serais très honoré si tu faisais mariage avec moi. Je viendrais ha-ha-habiter ici ou bien tu pourrais venir avec moi en Angleterre.

— Il faut absolument que tu ailles en Angleterre, dit Sophia à sa sœur. Là-bas, tu rencontreras peut-être le prince William et c'est lui que tu pourras épouser.

— Chut ! intima le senhor Barros, qui fit taire la plus grosse de ses filles d'un geste impatient.

Sans se laisser distraire, Jamie poursuivit :

— Naturellement, je ne m'attends pas à ce que tu es si bête que moi et je prédictionne na-na-naturellement que tu dis non, mais c'est Noël alors je voulais juste…

Aurélia le regardait, les yeux brillants, incapable de prononcer un mot.

— Pour l'amour du Ciel, dis oui, espèce d'idiote ! implora Sophia.

Aurélia et Jamie se contemplèrent un instant encore en silence. Puis, comme elle avait également appris la langue de celui qu'elle aimait, elle répondit dans un anglais chaotique :

— Merci toi. Ce sera joli. Oui est actuellement ma réponse.

— Qu'est-ce que tu as répondu ? s'informa son père.

— Oui, bien sûr, répondit Aurélia en portugais.

L'assistance applaudit avec des cris de joie.

— Tu as appris l'anglais ? s'étonna Jamie, qui n'avait toujours d'yeux que pour Aurélia.

— Oh, juste au cas où, répondit-elle dans sa langue avec un sourire espiègle.

Il leur fut impossible de poursuivre cette conversation. L'orchestre entama un air portugais mi-joyeux mi-mélancolique, un morceau à trois temps plus chaleureux et plus romantique que l'habituelle valse viennoise. Aurélia et Jamie s'enlacèrent pour danser. Ils avaient l'impression de marcher sur des nuages.

Dans le couloir de l'école, une atmosphère détendue régnait après la représentation. La tension et le trac avaient quitté tout le monde. Des voix joyeuses résonnaient à travers le grand bâtiment.

Sam était le seul à n'avoir pas l'air heureux. Il rejoignit son beau-père, le dos voûté.

— Hé, lui dit ce dernier pour l'encourager, quel concert ! Il y avait un batteur de première !

— Oui, merci, marmonna Sam. Mais mon plan n'a pas marché.

— Alors, dis-le-lui.

— Quoi ? demanda Sam en regardant son beau-père, les sourcils levés. Qu'est-ce que je dois lui dire ?

— Que tu l'aimes.

— Pas question ! s'exclama Sam. De toute façon, ils prennent l'avion ce soir.

— Tant mieux, reprit Daniel, obstiné. Tu n'as rien à perdre, alors. Et si tu ne le lui dis pas, tu le regretteras toujours. Je ne l'ai pas assez dit à ta mère. J'aurais dû le faire chaque jour, car elle était parfaite… chaque jour. Toi qui as vu tous les films, mon petit vieux, tu sais très bien que rien n'est jamais joué avant la fin.

Le visage de Sam n'exprimait plus la tristesse, mais un enthousiasme soudain.

— D'accord, allons-y ! s'écria-t-il. Tentons le tout pour le tout ! (Il réfléchit un instant.) Attends, je reviens tout de suite.

Il tourna les talons et s'engouffra dans une salle de cours de l'autre côté du couloir.

En se retournant, Daniel bouscula une femme.

— Oh, pardon ! s'exclama-t-elle, je suis vraiment la reine des abruties, et en plus, j'ai la vue basse !

Daniel la dévisagea comme s'il avait vu un habitant d'une autre planète. Comme elle tenait un petit garçon par la main, c'était visiblement une mère de famille. Mais avant tout, elle ressemblait à... Nicole Kidman. De manière inexplicable, surnaturelle, elle était le portrait de Nicole Kidman. Chaque détail correspondait : les yeux, la couleur des cheveux, le visage et le corps. C'était en même temps une jeune mère londonienne visiblement très sûre d'elle.

— Ce n'est rien, réussit à articuler Daniel au prix d'un gros effort. C'était ma faute.

— Mais non, dit-elle doucement, mais fermement. Vous êtes le père de Sam, n'est-ce pas ?

— Oui, enfin, le beau-père. Je m'appelle Daniel.

— Moi, c'est Carol, lui dit-elle en caressant les cheveux du garçon à côté d'elle. Tommy était le deuxième trompettiste. S'il était encore de ce monde, Louis Armstrong n'aurait qu'à bien se tenir.

— Bravo, mon gars, complimenta Daniel, même si, personnellement, je préfère Chet Baker.

Il regarda Carol, qui lui rendit son regard. Ce fut un échange de regards très significatif et qui ne semblait pas vouloir prendre fin. Finalement, Carol rompit le silence.

— Sam est très doué en sport, n'est-ce pas ? demanda-t-elle.

— Oui, répondit Daniel avec un sourire, mais malgré ses dons, il n'a aucun succès avec les filles.

Carol poussa un soupir.

— Nous sommes de sottes et frivoles créatures…

Sam ressortit de la salle de classe et les rejoignit.

— C'est bon, me revoilà, lança-t-il.

Daniel regardait toujours sa nouvelle connaissance.

— Euh, eh bien… j'espère que nous nous reverrons, Karen, dit-il.

— Carol, corrigea-t-elle avec un sourire. J'y veillerai, soyez-en sûr.

— Très bien, répondit Daniel. Joyeux Noël !

Il se sentit soudain aussi sot qu'elle l'avait affirmé à propos d'elle-même.

— Dis-le-lui, ordonna Sam tandis qu'ils s'éloignaient.

— Quoi ? demanda Daniel sans comprendre.

Sam lui montra la femme qui ressemblait à Nicole Kidman.

— Ah, sois pas salaud, grommela Daniel.

Il se retourna pourtant et elle se retourna au même moment. Lorsque leurs yeux se rencontrèrent, tous deux comprirent qu'ils étaient perdus.

Karen, Harry et leurs enfants se dirigeaient également vers la sortie de l'école.

— J'ai pas été fantastique ? demanda Bernie.

— C'était le récital de piano le plus époustouflant auquel j'aie jamais assisté, répondit Karen. Et pourtant, j'ai vu jouer Rachmaninov.

Harry lui sourit et elle lui rendit son sourire, puis elle regarda droit devant elle tandis que les enfants partaient en courant vers la sortie.

— Tu as offert à quelqu'un une chaînette en or pour Noël, dit-elle d'une voix sans timbre. J'espère que tu n'as pas joint ton cœur en supplément.

Harry blêmit.

— Karen... souffla-t-il.

Il était incapable d'en dire plus.

— C'est elle ! s'écria Sam alors qu'ils arrivaient dans la cour de l'école.

Joanna montait dans une grande limousine. La porte se referma et la voiture démarra aussitôt.

— Oh mon Dieu ! s'exclama Sam en regardant s'éloigner les phares arrière de la voiture.

— On peut y arriver, déclara Daniel. Je connais un détour, compliqué mais...

Il prit la main de Sam et ils se précipitèrent vers sa voiture. Quelques secondes plus tard, elle démarrait dans un hurlement de pneus. Sam se cramponna à son siège, bien qu'il eût passé la ceinture de sécurité.

Daniel tirait le maximum de sa voiture. En fonçant dans les rues de Londres, Sam et lui passèrent devant de nombreuses maisons où vivaient des gens dont ils ne savaient rien. Pourtant, l'amour jouait également un rôle décisif dans leurs vies, bien qu'à des degrés divers.

La voiture de Daniel traversait à présent un quartier résidentiel. Les grandes fenêtres des maisons de maître étaient somptueusement illuminées. Derrière l'une d'elles, Joe Alstyne était assis dans son salon. Il avait ouvert une bouteille de champagne qu'il buvait seul en regardant le clip de Billy Mack. Du pied, il battait la mesure, car il demeurait le fan de Billy qu'il avait toujours été.

La voiture de Daniel passa devant un grand ensemble d'immeubles blancs. Dans l'une des chambres de l'hôpital, Sarah et son frère, assis face à face, gardaient le silence. Il regardait vers la fenêtre tandis qu'elle lui tenait la main.

— Je t'aime, Michaël, dit-elle.

Il mit un instant à répondre.

— Je sais, lui répondit-il. Mais cela n'y change rien, ajouta-t-il au bout d'un instant.

— Je sais, dit-elle en lui caressant doucement les cheveux.

La voiture de Daniel filait maintenant dans la rue de banlieue où s'élevait la maison de Juliette et Peter Murray, les jeunes mariés. Ils regardaient à la télévision *Bodyguard*, avec Kevin Costner et Whitney Houston.

Soudain, on sonna à la porte. Juliette et Peter échangèrent un regard contrarié, puis elle décida d'aller ouvrir. Elle sortit du salon, traversa un petit couloir et ouvrit.

Mark se tenait devant elle.

— Oh, bonjour ! dit-elle, surprise.

Comme Bob Dylan dans son célèbre vidéoclip, il portait une pile de grands cartons blancs sur lesquels il avait tracé des phrases au feutre noir. Sur celui qu'il brandit, Juliette lut : « DIS QUE CE SONT DES CHANTEURS DE NOËL. »

— Qui c'est ? demanda Peter du salon.

— Des chanteurs de Noël, répondit Juliette.

— Donne-leur une livre et dis-leur d'aller se faire voir !

Mark se pencha et appuya sur la touche d'un magnétophone posé à ses pieds. Un *Douce nuit* extraordinairement mal chanté par des enfants s'éleva.

Juliette comprit qu'il avait préparé son entrée dans les moindres détails.

Il lui montra les autres cartons l'un après l'autre, assez longuement pour qu'elle ait le temps de les lire : « AVEC UN PEU DE CHANCE, L'AN PROCHAIN, JE SORTIRAI AVEC L'UNE DE CES FILLES. »

Sur le carton suivant étaient collées les photos des quatre plus beaux modèles du monde. D'autres cartons suivirent :

« MAIS LAISSE-MOI TE DÉCLARER,
SANS ESPOIR NI ARRIÈRE-PENSÉES,
SEULEMENT PARCE QUE C'EST NOËL,
ET QU'À NOËL ON PEUT DIRE LA VÉRITÉ,
QU'À MES YEUX TU ES PARFAITE
ET MON CŒUR BRISÉ CONTINUERA DE T'AIMER
JUSQU'À CE QUE TU AIES CETTE TÊTE. »

Cette dernière phrase était suivie d'une photographie de Mère Teresa. L'air grave, presque solennel, Mark brandit le carton suivant : « EN ATTENDANT, VOICI POUR TOI. »

Il prit une boîte et la lui tendit avec un autre carton : « CE SOIR, IL Y EN A DEUX. »

Juliette ouvrit la boîte. Elle contenait deux Banofee Pies. Juliette ferma les yeux, trop émue pour prononcer un mot. Lorsqu'elle les rouvrit, elle lut sur le dernier carton : « JOYEUX NOËL. »

L'air toujours aussi sérieux, Mark la salua en levant le pouce, reprit son magnétophone et tourna les talons. À mesure qu'il s'éloignait, le volume de *Douce nuit* diminuait.

Soudain, alors qu'il arrivait sur le trottoir, il sentit une main sur son épaule. Il se retourna. Juliette l'avait suivi sur le sentier du jardin. Doucement, sans un mot, elle l'embrassa sur la bouche. Pour la première fois, il sourit. Puis il s'écarta et repartit.

— Ça suffit, murmura-t-il. Maintenant, ça suffit.

John raccompagna Judy devant la porte de sa maison. Leur premier rendez-vous s'achevait et tous deux étaient encore aussi nerveux que des adolescents.

— Je crois qu'il vaut mieux que je rentre maintenant, dit-elle. Mon père et ma mère…

— Oui, il fait un peu froid, hein ? fit John avec un sourire mal assuré. Dis-moi, je peux t'appeler demain ?

— Mais oui, très bien.

— Super. Fantastique, dit-il en levant un pouce tremblant. Eh bien, bonne nuit.

— Bonne nuit, répondit Judy. J'ai passé une merveilleuse soirée. (D'un air enjoué, elle le montra du doigt.) Pour Noël, je ne veux rien d'autre que toi.

Tous deux éclatèrent d'un rire qui en disait long, puis Judy se pencha vers lui et lui donna un baiser timide mais tendre.

Elle se glissa à l'intérieur de la maison et referma la porte derrière elle. Il se détourna, redescendit les marches de l'entrée et, de joie, exécuta un entrechat.

Le magnétoscope passait pour la vingt-troisième fois le clip de Billy lorsqu'on sonna à la porte. Joe s'extirpa de son siège, sortit du salon, descendit l'escalier, ouvrit… et tomba de haut.

— Qu'est-ce que tu fous ici ? demanda-t-il, presque sur un ton de reproche. Tu devrais être à la soirée d'Elton John.

— Oui, répondit Billy, j'y étais mais, au bout de deux minutes, j'ai eu une révélation.

— Sans blague ? lança Joe avec un sourire. Entre. Quel genre de révélation ?

— C'était en lien avec Noël, expliqua Billy pendant qu'ils montaient l'escalier.

— Ah ouais, tu t'es rendu compte que l'esprit de Noël était « partout présent », c'est ça ?

— Non, je me suis rendu compte que Noël est une fête que l'on doit passer avec ceux qu'on aime.

— C'est vrai, répondit Joe.

Ils arrivèrent à l'étage et s'arrêtèrent devant le salon.

— Et j'ai compris, poursuivit Billy, qu'après tous ces hauts et ces bas j'avais atteint cinquante-cinq ans sans m'être rendu compte que j'avais passé la plus grande partie de mon âge adulte avec un associé bedonnant. Bref, bien que je déplore d'avoir à l'admettre, il se peut très bien que la personne que j'aime le plus, ce soit... toi.

Joe resta perplexe.

— Eh bien, en voilà une surprise, fit-il.

— Oui, je m'en doute.

Joe secoua la tête.

— Deux minutes avec Elton John, et tu es devenu pédé comme un phoque, soupira-t-il.

— Non, non, je parle très sérieusement, affirma Billy. J'ai laissé tomber Elton John, sa soirée et une flopée de nénettes à peine vêtues pour passer Noël avec toi.

Joe comprit.

— Vraiment, Bill... je suis touché, dit-il.

Billy sourit de toutes ses dents.

— Je suis en train de commettre une erreur terrible, mon gros, mais il se trouve que tu es le putain d'amour de ma vie.

193

— Ça alors, ça me scie, murmura Joe.

— Et pour être franc, ajouta Billy, même si j'ai passé mon temps à râler, je trouve que j'ai eu une vie fantastique.

Joe était à présent profondément ému.

— Merci, mon vieux, lui répondit-il à mi-voix. Pour moi, ça a été un grand honneur de travailler pour toi. J'en suis vraiment fier.

Il voulut serrer la main de Billy.

— Bon Dieu, arrête de faire le con ! gronda le chanteur de rock en serrant son manager dans ses bras. Allez, viens, reprit-il, on va se bourrer la gueule en regardant des pornos.

Adieux à Heathrow

Aux abords de Heathrow, la voiture de Daniel passa devant un immeuble de bureaux désert. Seul l'éclairage de secours fonctionnait à l'intérieur du bâtiment, créant une mystérieuse ambiance nocturne.

Quelque chose d'étrange se produisit dans les locaux de Fairtrade. Derrière le bureau de Sarah, l'affiche en noir et blanc se transforma. L'Africain et son champ ravagé prirent des couleurs passées.

L'Africain remua et se leva. Une belle femme noire entra dans le cadre et s'approcha de lui. Tous deux parlèrent en swahili, leur langue maternelle.

— Viens, dit la femme, tu ne peux plus rien y faire.

— J'ai l'impression de t'avoir abandonnée, répondit-il.

Elle secoua doucement la tête.

— Ne dis pas de bêtises. Aussi longtemps que je verrai ce large sourire sur ta vilaine figure, tout ira bien pour moi, déclara-t-elle.

Il sourit. C'était un large sourire qui éclairait, comme elle l'avait dit, son visage laid.

— Il va falloir repartir, reprit-il.

— Puisqu'il le faut, allons-y, répondit-elle. Ça pourrait être pire. Tu aurais pu épouser ma sœur et chacun sait qu'elle marche aussi lentement qu'une tortue.

Il se mit à rire et elle l'embrassa. Lorsqu'ils furent prêts à partir, leur fils surgit à son tour dans l'image et prit la main de son père.

Lorsque Daniel et Sam arrivèrent à Heathrow, ils avaient l'impression que leur trajet avait duré la moitié de la nuit. Sur le parking, ils eurent de la chance : Daniel trouva une place libre à côté de l'entrée du terminal des départs. Néanmoins, à l'intérieur de l'aéroport, la chance les abandonna.

— Désolé, leur dit l'employé en uniforme qui se tenait derrière le comptoir, à côté des portes d'embarquement, mais je ne peux pas vous laisser passer sans carte d'embarquement.

— Ne pouvez-vous pas faire une exception pour quelqu'un qui voudrait dire au revoir à son grand amour ? implora Daniel.

— Non, répondit énergiquement l'employé.

Un voyageur s'approcha du comptoir.

— Votre carte d'embarquement, s'il vous plaît, monsieur, demanda l'employé.

Visiblement, l'obstination de ce grand type et de son fils l'agaçait.

— Un instant, répliqua le voyageur en fouillant dans les poches de sa veste. Je suis pourtant sûr qu'elle était là. Pourriez-vous me tenir ça ? demanda-t-il en tendant à l'employé son bagage et son manteau avant de reprendre ses recherches.

Sam comprit aussitôt la chance qui s'offrait à lui : l'employé ne pouvait plus le voir, car la mallette d'assez grande taille et le manteau le dissimulaient.

Il partit en courant de toute la force de ses jambes et passa comme l'éclair devant l'employé posté devant la porte d'embarquement, qui ne le remarqua pas immédiatement.

— Oui ! hurla Daniel, enthousiasmé. Vas-y, fonce !

— Désolé, dit finalement le voyageur en reprenant son bagage et son manteau. J'ai dû l'oublier quand j'ai pris un café.

Il se détourna et s'éloigna avec un sourire. C'était l'ange Rufus, mais Daniel ne pouvait le savoir. Et comme, en cet instant, son attention était entièrement tournée vers Sam, il ne vit pas qu'à quelques mètres de lui Rufus s'était évanoui dans les airs.

Entre-temps, un tumulte avait éclaté de l'autre côté du comptoir. Sam traversa comme un bolide le contrôle de sécurité en provoquant des cris de panique. Des hommes en uniforme se lancèrent à sa poursuite. Sam évita des voyageurs, bondit sur un tapis roulant pour bagages sur lequel il courut, sauta à terre et se retrouva soudain encerclé d'uniformes.

Ses talents sportifs se révélèrent un atout précieux. Comme un gardien de but avant un penalty, il évalua les possibilités s'offrant à lui. Avec un flair infaillible, il repéra le plus grand intervalle entre deux uniformes et s'y engouffra à une telle allure que les autres n'y virent que du feu.

La folle poursuite continua à travers les couloirs et les allées de l'aéroport. Sam devait sans cesse éviter de nouveaux obstacles et des agents de sécurité fermement décidés à le coincer. Enfin, il vit la porte 36.

Il déb:oula dans la salle d'attente juste à temps pour voir Joanna et ses parents s'engager dans le couloir menant à l'avion. À l'instant même, un agent à la large carrure et une hôtesse de l'air lui barrèrent le passage. Il allait abandonner lorsque les deux autres tournèrent la tête, distraits par ce qu'ils voyaient sur un téléviseur placé à côté du couloir. Ils éclatèrent de rire.

C'était une émission où Billy Mack était invité. La star de rock vieillissante chantait son tube de Noël en faisant un strip-tease.

Sam profita de cette chance inespérée pour se faufiler entre les deux employés. Devant lui, il n'y avait plus que le long couloir semblable à un boyau... et Joanna.

— Joanna ! appela-t-il en s'approchant lentement d'elle, tandis qu'elle s'arrêtait et se retournait.

— Sam ? fit-elle en le regardant, étonnée.

— Je croyais que tu ne savais même pas qui j'étais, dit-il.

— Bien sûr que si. C'est toi qui sais faire le poirier et qui joues de la batterie comme un dieu.

— C'est toi le batteur ? intervint le père de Joanna.

— C'est lui, confirma la mère. Tu es vraiment prodigieux à la batterie, dit-elle à Sam.

— Qu'est-ce que tu fais ici ? demanda Joanna.

— Euh, eh bien... bredouilla-t-il. (Soudain, des bruits de pas résonnèrent dans le couloir. Il se retourna, effrayé.) Oh mon Dieu !

Tous ses poursuivants s'approchaient à une vitesse stupéfiante.

— Je dois m'en aller, expliqua-t-il précipitamment à Joanna. Tiens, prends ça. Tu sais ce que ça veut dire. Pense à la Sixième B.

Tout en parlant, il avait plongé la main dans la poche de son pantalon et en avait ramené une poignée de poussière d'étoiles, de ces paillettes dont on saupoudre des bandes adhésives pour fabriquer des décorations de Noël. Il la déposa dans la main de Joanna, pivota sur lui-même et partit en courant.

Les yeux écarquillés, Joanna le regarda éviter adroitement ses poursuivants. Ces derniers se bousculèrent en faisant demi-tour et le chaos qui en résulta permit à Sam de prendre une bonne avance sur eux. Quelques secondes plus tard, il avait disparu.

Joanna sourit.

— Allez, viens, Jo, lui dit son père.

Elle obéit, mais, jusqu'à l'avion, elle contempla la poussière d'étoiles au creux de sa main. Elle savait ce que Sam avait voulu dire, car elle se souvenait de l'air que la Seconde B avait chanté lors du concert. Elle avait gardé ses paroles en mémoire.

« *Catch a falling star and put it in your pocket, save it for a rainy day...* »

Au même moment, Sam sprintait à travers les rangées de sièges de la salle d'attente, ses poursuivants dans son dos, mais encore trop loin pour le menacer sérieusement. Parvenu au milieu de la salle, il s'arrêta soudain, effaré.

Face à lui, une foule d'uniformes se déployait comme un détachement d'infanterie, tandis que, derrière lui, ses poursuivants se rapprochaient avec des clameurs triomphales. En un tour de main, il fut encerclé. Cette fois-ci, il n'y avait plus d'issue. Même ses talents sportifs ne lui servirent à rien. Il fut reconduit *manu militari* au comptoir derrière lequel son beau-père l'attendait. Après une sévère admonestation, on le remit à la garde de ce dernier.

Un instant plus tard, quelqu'un lui posa la main sur l'épaule. Il se retourna en s'attendant à un nouveau sermon.

Joanna se tenait devant lui.

Elle le regarda sans un mot et, avant qu'il ne soit revenu de sa surprise, elle l'embrassa sur la joue. Puis elle recula, tourna les talons et s'éloigna en courant.

Sam resta immobile, bouche bée, et la regarda jusqu'à ce qu'elle ait disparu. Puis, alors qu'il faisait demi-tour pour rejoindre son beau-père, un sourire triomphant apparut sur ses lèvres et il fit le signe de la victoire. David le souleva et le serra dans ses bras.

De la poussière d'étoiles tombait de la poche de Sam tandis que les paroles de « *Catch a falling star* » lui revenaient en mémoire : «... car l'amour pourrait surgir et poser la main sur ton épaule/par une nuit pleine d'étoiles/alors, si tu veux le retenir/garde dans ta poche de la lumière d'étoiles... »

Un mois plus tard...

Le terminal des arrivées de Heathrow résonnait de l'habituelle rumeur de la foule venue accueillir les voyageurs. Dans cette foule, on pouvait voir un grand nombre de chauffeurs d'entreprises portant des pancartes sur lesquelles étaient inscrits des noms, mais un nombre au moins égal de personnes qui attendaient des parents ou des amis. Les portes s'ouvrirent, livrant passage aux premiers arrivants qui furent salués par des cris de joie et des embrassades.

Billy Mack franchit la porte, accompagné d'une grande blonde superbe. Joe Alstyne se précipita à sa rencontre et, après des claques sur l'épaule et de bruyantes salutations, il prit le sac de voyage de Billy et baisa la main de la blonde.

Daniel et Sam attendaient dans la foule. Carol, le sosie de Nicole Kidman, les rejoignit et tendit à Daniel le gobelet de café qu'elle était allée lui chercher.

Tony Frazer était là, lui aussi. Dans le flux d'arrivants, il n'avait pas remarqué des visages pourtant connus, qui s'approchèrent de lui. On lui toucha l'épaule. Il se retourna et parut stupéfait.

Judy et John se tenaient devant lui, des bagages à la main. Ils étaient l'image même du bonheur.

— Qu'est-ce que tu fais là ? s'exclama John.

— Oh, j'attends un ami, répondit Tony. Et vous ? En réponse, Judy leva la main et fit tourner sur son doigt sa bague de fiançailles. Ses yeux brillèrent tandis qu'elle échangeait un regard avec John.

À son arrivée, Harry ne vit aucun visage familier. Déçu, il s'immobilisa et regarda autour de lui. Au même moment, Karen parvint à le rejoindre en se frayant un chemin à travers la foule. Le sourire avec lequel elle l'accueillit était un peu contraint.

Ses enfants la suivaient en portant un écriteau sur lequel on pouvait lire : « BIENVENUE À LA MAISON, PAPA. » C'était probablement la raison pour laquelle Bernie semblait encore plus maussade que d'habitude.

Peter et Juliette attendaient Jamie et sa future femme, Aurélia, une beauté aux cheveux noirs.

— Je vous présente Aurélia, leur annonça fièrement Jamie. Et voici Peter et Juliette, dit-il à la jeune femme.

— Bienvenue dans le froid pays qui est le nôtre, lui dit Peter en guise de salutation.

— Tiens, Mark ! s'exclama Jamie. Je ne t'avais pas vu.

— Oui, je me suis dit que je pouvais bien faire un saut jusqu'ici, répondit Mark en s'avançant à sa rencontre.

Il avait attendu un peu à l'écart, derrière Peter et Juliette.

— Les amis de Jamie sont vraiment séduisants, constata Aurélia avec enthousiasme. Il ne me l'avait jamais dit. Je crois ai peut-être fait mauvais choix, choisi mauvais Anglais.

— Elle ne s-s-sait pas encore bien parler anglais, s'empressa d'ajouter Jamie. À vrai dire, elle ne sait pas ce qu'elle raconte. Elle n'a pas du tout voulu dire ça.

Ses paroles furent noyées sous les rires de ses amis.

Soudain, Joanna surgit de la foule. Sam s'avança vers elle et voulut la serrer dans ses bras, mais il se dit probablement que ce serait un peu excessif pour un début. Il se contenta donc de prendre sa main et de la secouer frénétiquement.

Tony, qui s'était frayé un chemin vers la porte, repéra enfin Colin, l'homme parti à la conquête des Américaines. L'air triomphant, ce dernier désigna du pouce quelque chose ou quelqu'un qui se trouvait derrière lui.

Celle qu'il désignait apparut dans l'encadrement de la porte. Elle ressemblait à s'y méprendre à une star de cinéma.

— C'est Harriet, déclara Colin en bombant fièrement le torse.

— Bonjour, Harriet, dit Tony avec une certaine réserve.

— Salut ! répondit-elle. Ravie de te connaître !

— Alors, comment ça a été, espèce de vieux *loser* ? demanda Colin à Tony en lui donnant une claque sur l'épaule.

Tony sourit faiblement.

— Oh, comme ça... En fait, je me suis senti un peu seul, avoua-t-il.

— Formidable ! fit Colin, l'air réjoui. Écoute, est-ce qu'on pourrait crécher chez toi un jour ou deux ?

— Oui, je pense bien, répondit Tony avec hésitation, mais tu sais que vous devrez dormir sur le canapé. J'ai seulement un lit.

— Ah oui, dit Colin en se grattant la nuque. C'est qu'il y a un petit problème.

— Quoi ? demanda Tony sans comprendre.

— Voilà ce qui se passe, Tony, expliqua Harriet en battant des paupières comme une petite fille embarrassée. Je sais que c'est très mal élevé de ma part – vraiment culotté et incroyable – mais j'ai amené ma sœur Laura, dit-elle en montrant quelqu'un du pouce par-dessus son épaule.

— Oh ! fit Tony, l'air malheureux.

De la foule qui se pressait à la douane surgit une deuxième star d'une beauté à couper le souffle.

— Enfin, c'est seulement ma demi-sœur, corrigea Harriet dans un murmure.

— Ah, je vois, dit Tony, déconcerté.

Laura s'approcha de lui.

— Bonjour ! Tu dois être Tony, lança-t-elle, et sans lui laisser le temps de répondre, elle l'embrassa sur la bouche.

— Oui… oui, c'est moi… Tony Frazer, bafouilla-t-il. B'jour.

— J'avais déjà entendu dire que tu étais beau gosse, lui dit Laura, rayonnante.

— Oui, euh… bienvenue en Angleterre, répondit Tony. Je suis vraiment très content que vous veniez habiter chez moi. J'espère que ça ira pour les lits. (Il regarda Colin.) Et l'Amérique ? C'était comment ?

— Tout simplement fantastique, déclara Colin.

Un remous parcourut la foule lorsque le Premier Ministre apparut, encadré de ses gardes du corps. Il arrivait par le même avion. La foule lui fit un accueil enthousiaste. Nathalie ne réussit à le rejoindre qu'avec difficulté. Lorsqu'elle noua les bras autour de son cou et qu'il l'attira à lui pour l'embrasser, les flashs d'au moins cinquante paparazzis qui avaient guetté ce moment illuminèrent la salle.

— Bon Dieu, qu'est-ce que tu es lourde, chuchota David à l'oreille de Nathalie.

— Oh, tais-toi, répondit-elle. Tu prends sur tes épaules tous les problèmes de ce pays, alors tu peux bien trimballer un poids plume comme moi.

Sur ce, la foule envahit la salle, une foule composée des couples et des groupes les plus divers qui, au moment des retrouvailles, tombaient dans les bras les uns des autres, se serraient les uns contre les autres et s'embrassaient, pleins d'amour et d'affection. Avant de partir, un bras passé autour de la taille de Nathalie, David regarda cette scène qui le remplissait d'une joie profonde. C'était exactement celle qu'il aimait tant imaginer, et il sut qu'il avait eu raison lorsqu'il avait déclaré à un auditoire imaginaire : « L'amour est omniprésent. Souvent, il n'est pas particulièrement noble, ni digne d'être mentionné, mais il est toujours présent. Il suffit d'un peu d'attention pour s'en rendre compte... »

loveactually

Un film de Richard Curtis

avec

Hugh Grant	Le Premier Ministre
Martine McCutcheon	Nathalie
Emma Thompson	Karen
Alan Rickman	Harry
Heike Makatsch	Mia
Colin Firth	Jamie
Lucia Moniz	Aurélia
Liam Neeson	Daniel
Thomas Sangster	Sam
Olivia Olson	Joanna
Chiwetel Ejiofor	Peter
Keira Knightley	Juliette
Andrew Lincoln	Mark
Laura Linney	Sarah
Rodrigo Santoro	Karl
Martin Freeman	John
Joanna Page	Judy
Kris Marshall	Colin Frissell
Bill Nighy	Billy Mack
Rowan Atkinson	L'ange Rufus

*Cet ouvrage a été composé
par Atlant' Communication
aux Sables d'Olonne (Vendée)*

Impression réalisée sur CAMERON par

BRODARD & TAUPIN

GROUPE CPI

*La Flèche (Sarthe)
en novembre 2003*

*pour le compte des Éditions de l'Archipel
département éditorial
de la S.A.R.L. Écriture-Communication*